1001 phrases pour bien parler anglais

un peu de grammaire,
beaucoup d'exemples

Jean-Philippe Rouillier
Agrégé d'anglais

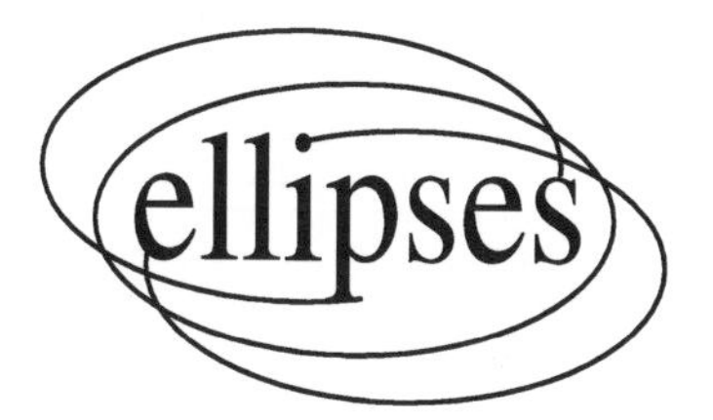

Du même auteur, chez le même éditeur

- *1001 expressions pour tout dire en anglais*, 160 pages, 2005, nouvelle édition.

ISBN 978-2-7298-2581-2

www.editions-ellipses.fr

Avant-propos

Cet ouvrage s'adresse aux lycéens, aux élèves des classes préparatoires aux grandes écoles, aux étudiants et, plus largement, à tous ceux qui souhaitent maîtriser les structures fondamentales de l'anglais.
Il ne s'agit ni d'une grammaire, ni d'un vocabulaire, mais d'un recueil de 1001 phrases usuelles classées en 150 points de grammaire. *1001 phrases pour bien parler anglais* se consulte facilement et rapidement. C'est l'outil idéal pour les règles de grammaire à connaître absolument et un précieux guide quant à leur application.
La démarche se veut efficace, vivante et concrète : un minimum d'explications pour un maximum d'exemples authentiques. Elle se fonde sur un constat : il est pédagogiquement plus efficace de passer de l'exemple à la règle qu'inversement. On apprend mieux par l'exemple que par la règle. Dans *1001 phrases pour bien parler anglais*, le lecteur découvrira de multiples situations expressives écrites et orales ainsi que leur clé grammaticale et lexicale.
Grâce à cet ouvrage qui ne prétend pas à l'exhaustivité, chacun pourra apprendre à maîtriser l'emploi des idiomes et le réemploi des règles et des structures les plus fondamentales de l'anglais, notamment celles qui présentent une difficulté spécifique pour un francophone.
Au fil des pages, l'utilisateur acquerra une expression naturelle où la grammaire, loin d'être une coquille vide à remplir de mots de vocabulaire, trouve sa place de façon attrayante.

L'auteur

Sommaire

1. les auxiliaires de modalité

Soit la phrase ***I speak English***, *Je parle anglais*. Je peux y ajouter une modalité (= une variante, une légère transformation) comme par exemple, la capacité en disant ***I can speak English***, *je sais parler anglais*. L'auxiliaire ***can*** fonctionne comme une béquille entre le sujet ***I*** et le verbe ***speak***.
Voici les principaux auxiliaires de modalité :

- ***can/could, shall/should, will/would, may, might, must***
- Ils ne prennent aucune forme de conjugaison.
- La négation se place après l'auxiliaire.
  It can't be true! *Ça ne peut pas être vrai !*
- Les formes contractées sont réservées à l'oral.
  Lost balls will not be replaced (on a golf-course).
  Les balles perdues ne seront pas remplacées (sur un golf).

sens général

- ***can/can't*** : *pouvoir, être capable de, être autorisé à, savoir.*
  Ex : ***I can't come*** : *je ne peux pas venir ;*
  I can swim : *je sais nager.*

I can't believe it!	*Je n'arrive pas à le croire !*
It can't be true!	*Ça ne peut pas être vrai !*
He can't have said that!	*Il n'a pas pu dire ça !*
I can't help thinking about it!	*Je ne peux pas m'empêcher d'y penser !*

You can rely on me.	*Tu peux compter sur moi.*
She can't come today.	*Elle ne peut pas venir aujourd'hui.*
Can you hear me?	*Tu m'entends ?*
Can you see anything?	*Tu vois quelque chose ?*
You can talk!	*Tu peux parler !*
She can play the piano.	*Elle sait jouer du piano.*
Can I get you anything?	*Puis-je vous apporter quelque chose ?*
I can imagine her surprise...	*J'imagine sa surprise...*
I can't stand waiting.	*Je ne supporte pas d'attendre.*
She can't keep a secret.	*Elle ne sait pas garder un secret.*
I can't wait for the holidays!	*Vivement les vacances !*
I can handle it.	*Je m'en débrouille.*

▶ ***could/couldn't*** peut avoir deux valeurs différentes : soit pour parler au passé (***I could*** *: je pouvais/j'ai pu*), soit au conditionnel (***I could*** *: je pourrais*).

I would if I could.	*Je le ferais si je le pouvais.*
She couldn't stop laughing.	*Elle ne pouvait pas s'arrêter de rire.*
They couldn't stop him.	*Ils n'ont pas pu l'empêcher.*
If only I could...	*Si seulement je le pouvais...*
He couldn't say a word.	*Il était bouche bée.*
You could help me.	*Tu pourrais m'aider.*
It could be worse.	*Ça pourrait être pire.*

It could be true.	*Ça pourrait être vrai.*
You could try.	*Tu pourrais essayer.*
Who knows what could happen?	*Qui sait ce qui pourrait arriver ?*
We could be gone by now.	*Nous pourrions être partis, à l'heure qu'il est.*
Who could have imagined that?	*Qui aurait pu imaginer cela ?*
I couldn't care less!	*Je m'en fiche pas mal !*

- ***shall*** s'utilise pour une suggestion (dans les questions, surtout avec ***I*** et ***we***) ou pour donner un aspect solennel, pour insister (ordre, déclaration formelle).

How shall I put it?	*Comment dirais-je ?*
Shall we go?	*On y va ?*
Shall we have lunch now?	*On déjeune maintenant ?*
Shall I invite him too?	*Je l'invite aussi ?*
Let's go out, shall we?	*Si on sortait ?*
We shall never see the end of it!	*Nous n'en verrons jamais le bout !*
We shall never surrender.	*Nous ne nous rendrons jamais.*
You shall not kill.	*Tu ne tueras point.*

- ***should*** s'utilise pour un conseil ou un reproche (*tu devrais...*). Il peut parfois être employé pour faire une prédiction (ex. : ***the weather should be nice*** : *il devrait faire beau*).

You shouldn't say that.	*Tu ne devrais pas dire ça.*
It shouldn't be long.	*Ça ne devrait pas être long.*

I should think so!	*Je pense bien !*
You should speak to her.	*Tu devrais lui parler.*
You should give it a try.	*Tu devrais essayer.*
Should I stay or should I go?	*Devrais-je rester ou m'en aller ?*
We should go now.	*Nous devrions partir maintenant.*
He should have told the truth.	*Il aurait dû dire la vérité.*
I should have known!	*J'aurais dû m'en douter !*
We should be back early.	*Nous devrions être rentrés de bonne heure.*

- ***may*** exprime une faible probabilité. Il est aussi utilisé pour une autorisation ou une interdiction et dans les formules de politesse.

You may sit down.	*Vous pouvez vous asseoir.*
He may come.	*Il se peut qu'il vienne.*
May I help you?	*Puis-je vous aider ?*
May I talk to Tim, please?	*Puis-je parler à Tim, s'il vous plaît ?*
You may not smoke.	*Il est interdit de fumer.*
She may be ill...	*Elle est peut-être malade...*
They may have heard the news.	*Ils ont peut-être appris la nouvelle.*

- ***might*** exprime une faible probabilité (encore plus que ***may***). Il peut aussi exprimer un reproche au passé (à la place de ***could*** ou ***should***).

It might well snow.	*Il se pourrait bien qu'il neige.*

It might be too late...	*Il est peut-être trop tard...*
She might know already.	*Peut-être qu'elle est déjà au courant.*
He might try to come back.	*Il se pourrait qu'il tente de revenir.*
You might have told me.	*Tu aurais pu m'en parler.*
He might have been killed.	*Il aurait pu se faire tuer.*

- ***must*** *: devoir* (sens d'obligation ou de forte probabilité).
mustn't : s'utilise pour une interdiction ou une forte improbabilité.

You must be quiet.	*Tu ne dois pas faire de bruit.*
You mustn't smoke here.	*Il est interdit de fumer ici.*
It must not happen again.	*Cela ne doit pas se reproduire.*
You mustn't lose heart.	*Tu ne dois pas te décourager.*
He must be late again.	*Il doit être encore en retard.*
It must be true.	*Ça doit être vrai.*
You must be joking!	*Vous voulez rire !*
He must be sleeping.	*Il doit être en train de dormir.*
You must be mistaken.	*Vous devez faire erreur.*
You must be out of your mind!	*Tu as perdu la tête !*
I mustn't keep you...	*Je ne veux pas vous retarder...*

- La forme ***must have*** + participe passé s'utilise pour une forte probabilité au passé, pour quelque chose qui a dû se produire.

He must have had an accident.	*Il a dû avoir un accident.*

He must have missed his train.	*Il a dû rater son train.*
She must have lost her keys.	*Elle a dû perdre ses clés.*
She must have seen us.	*Elle a dû nous voir.*
They must have forgotten.	*Ils ont dû oublier.*
They must have heard the news.	*Ils ont dû apprendre la nouvelle.*

▸ ***have to*** s'emploie pour exprimer l'obligation (*je suis obligé de...*) et, dans certains cas, la forte probabilité (en lieu et place de ***must***).

We have to be realistic.	*Nous devons être réalistes.*
Sorry, I have to go.	*Désolé, je dois y aller.*
We have to be there early.	*Nous devons y être de bonne heure.*
Do I have to answer?	*Suis-je obligé de répondre ?*
They had to cancel.	*Ils ont été obligés d'annuler.*
I'll have to talk to him.	*Il faudra que je lui parle.*
It has to be him!	*Ça doit être lui !*

▸ ***don't have to*** exprime l'absence d'obligation (*je ne suis pas obligé de...*). La forme prétérite est ***didn't have to*** (*je n'étais pas obligé de...*) ; la forme du futur, ***won't have to*** (*je ne serai pas obligé de...*).

You can come with us, but you don't have to.	*Tu peux venir avec nous, mais tu n'es pas obligé.*
You don't have to worry.	*Tu n'as pas à t'en faire.*
We don't have to go already.	*Nous ne sommes pas obligés de partir dès maintenant.*

She didn't have to tell him.	*Elle n'était pas obligée de le lui dire.*
I didn't have to call her: she knew already.	*Je n'ai pas eu à l'appeler : elle était déjà au courant.*
I hope we won't have to wait.	*J'espère que nous n'aurons pas à attendre.*

▶ ***will/won't*** est l'auxiliaire du futur. Il s'emploie aussi pour une habitude (dans le présent), ou bien une volonté (ou un refus).

We'll see...	*On verra...*
I'll be there at 8.	*J'y serai à 8 h.*
I'll try to be on time.	*J'essaierai d'être à l'heure.*
I'll see what I can do about it.	*Je vais voir ce que je peux y faire.*
I'll see you home.	*Je te raccompagne.*
Will you marry me?	*Veux-tu m'épouser ?*
Will you help me?	*Tu veux bien m'aider ?*
I won't hear of it.	*Je ne veux pas en entendre parler.*
Boys will be boys.	*Il faut que jeunesse se passe.*
I won't let you down.	*Je ne te laisserai pas tomber.*
That old car won't start.	*Cette vieille voiture ne veut pas démarrer.*

▶ ***would/wouldn't*** *:* c'est la forme passée de ***will/won't***. Il s'utilise comme auxiliaire du conditionnel. ***Would*** est souvent contracté en ***'d***. Notez la forme : ***I would like (I'd like)*** *: j'aimerais, je voudrais.*

It would be nice if she came.	*Ce serait bien si elle venait.*
Wouldn't it be great to travel to Asia?	*Ce serait super d'aller en Asie !*
He'd come if he could.	*Il viendrait s'il le pouvait.*
I wouldn't do it if I were you.	*Si j'étais toi, je ne le ferais pas.*
I would be too scared.	*J'aurais trop peur.*
I'd like to visit China.	*J'aimerais visiter la Chine.*
Would you like some tea?	*Voudriez-vous du thé ?*
I'd prefer a little milk.	*Je préférerais un peu de lait.*
Would you mind closing the window?	*Cela vous ennuierait de fermer la fenêtre ?*
"If I'd like to be a star? I wouldn't dream of it!"	*- Si j'aimerais être une star ? Certainement pas !*

2. temps et aspects

La principale différence entre le français et l'anglais est qu'en anglais il n'y a pas de marque de conjugaison. Le verbe se construit à toutes les personnes de la même façon, à l'exception de la 3e personne du présent simple dont la marque est le ***s*** final.

- L'impératif (forme affirmative) se forme à partir de la base verbale. On utilise ***Let's*** pour les 1res personnes du pluriel ou du singulier.

Come here!	*Viens ici !*
Help!	*Au secours !*
Run for your lives!	*Sauve qui peut !*

Go get me the paper, will you?	*Va me chercher le journal, tu veux ?*
Come and play with us!	*Viens jouer avec nous !*
Hold on a second!	*Attends une seconde !*
Excuse-me.	*Excusez-moi.*
Wait! Say no more!	*Attendez ! N'en dites pas plus !*
Keep off the grass.	*Pelouses interdites.*
Listen carefully.	*Écoutez attentivement.*
Let's go!	*Allons-y !*
Let's see...	*Voyons voir.../Voyons...*
Let's have a look!	*Jetons un coup d'œil !*
Let's get out of here.	*Partons d'ici.*
Let me in/out!	*Laissez-moi entrer/sortir !*
Let me ask you a question...	*Laissez-moi vous poser une question...*
Let me tell you something...	*J'ai une chose à vous dire...*
Keep the change!	*Gardez la monnaie !*
Mind your own business!	*Occupe-toi de tes affaires !*

◗ L'impératif (forme négative) se forme à partir de la base verbale précédée de ***don't***.

Don't forget!	*N'oublie pas !*
Don't go too fast!	*Ne va pas trop vite !*
Don't panic!	*Pas de panique !*
Don't go without me!	*Ne partez pas sans moi !*
Don't you dare!	*T'as pas intérêt !*
Don't do it again!	*Ne recommence pas !*

- Le présent simple ou ***simple present*** s'emploie pour une vérité générale, un avis, un goût, une habitude. L'auxiliaire ***do*** n'est pas utilisé dans les phrases affirmatives, ni dans les questions portant sur le sujet.

How do you do?	*Enchanté !*
I don't mind.	*Ça m'est égal.*
It doesn't matter.	*Ce n'est pas grave.*
You never know.	*On ne sait jamais.*
Do you want some more?	*Vous en voulez encore ?*
I agree.	*Je suis d'accord.*
I hope so/not.	*J'espère que oui/non.*
I don't think so.	*Je ne pense pas.*
What do you mean?	*Que veux-tu dire ?*
I suppose you're right.	*Je suppose que tu as raison.*
Do you like fishing?	*Vous aimez la pêche ?*
I go running.	*Je fais du jogging.*
They often go on strike.	*Ils font souvent grève.*
She looks happy/sad.	*Elle a l'air heureuse/triste.*
I don't care.	*Je m'en fiche.*

- Le prétérite ou ***simple past*** s'emploie pour une action révolue et située dans le passé. L'auxiliaire ***did*** n'est pas utilisé dans les phrases affirmatives, ni dans les questions portant sur le sujet.

Did you have a nice trip?	*Vous avez fait bon voyage ?*
Did you hear?	*Tu as entendu ?*
What happened?	*Que s'est-il passé ?*
Who told you?	*Qui t'en a parlé ?*

Did you tell her?	*Tu le lui as dit ?*
She said yes/no.	*Elle a dit oui/non.*
Didn't I say so?	*C'est ce que je disais.*
I told you!	*Je te l'avais bien dit !*
I forgot to tell you.	*J'ai oublié de t'en parler.*
That taught him a lesson.	*Cela lui a servi de leçon.*
I didn't mean to hurt you.	*Je ne voulais pas te blesser.*
How much did he pay?	*Combien a-t-il payé ?*
She kept us waiting.	*Elle nous a fait attendre.*

- Le prétérite modal s'utilise après ***If only/I wish*** (*si seulement*). Il se traduit par un imparfait en français. Formation : ***If only/ I wish*** + prétérite ou ***could/would*** + base verbale.

If only I could see him!	*Si seulement je pouvais le voir !*
If only it would stop raining!	*Si seulement il pouvait s'arrêter de pleuvoir !*
I wish it wasn't so far!	*Si seulement ce n'était pas si loin !*
I wish it wasn't so late!	*Si seulement il n'était pas si tard !*
I wish you were here!	*Si seulement tu étais là !*
I wish I could help you.	*J'aimerais bien pouvoir t'aider.*
I wish I wasn't so busy!	*Si seulement j'étais moins occupé !*
I wish I didn't have so many things to do!	*Si seulement je n'avais pas tant de choses à faire !*

- Le *past perfect* modal s'utilise après ***If only/I wish*** (*si seulement*). Il se traduit par un plus-que-parfait en français.

If only I had been there!	*Si seulement j'avais été là !*
If only she had listened!	*Si seulement elle avait écouté !*
I wish I had never met him.	*Je souhaiterais ne l'avoir jamais rencontré.*
I wish you'd told me before!	*Si seulement tu m'en avais parlé plus tôt !*
If only you had waited for us!	*Si seulement tu nous avais attendus !*
I wish we hadn't left so early.	*Si seulement nous n'étions pas partis si tôt !*

- Le présent continu s'emploie pour une action en cours ou qui va bientôt avoir lieu. Il est construit avec l'auxiliaire ***be (am/is/are)*** + ***ing***.

What's going on here?	*Que se passe-t-il ici ?*
What are you doing here?	*Que fais-tu ici ?*
Look, it's raining!	*Regarde, il pleut !*
He's leaving tomorrow.	*Il part demain.*
Who's cooking tonight?	*Qui fait la cuisine ce soir ?*
I'm tired, I'm going home.	*Je suis fatigué, je rentre.*
Are you listening to me?	*Tu m'écoutes ?*
Are you being served?	*On vous sert ?*
What are you looking for?	*Que cherches-tu ?*
Are you staying for dinner?	*Vous restez dîner ?*
I'm looking forward to hearing from you.	*Je suis impatient de recevoir de vos nouvelles.*

- Le prétérite continu s'emploie pour une action qui était en cours dans le passé à un moment donné ou pour une description au passé. Il est construit avec l'auxiliaire ***be (was/were)*** + ***ing*** et est généralement traduit par l'imparfait.

That day, it was raining.	*Ce jour-là, il pleuvait.*
I was wearing a raincoat.	*Je portais un imperméable.*
He was having dinner.	*Il était en train de dîner.*
I was watching TV when she arrived.	*Je regardais la télé quand elle est arrivée.*
She arrived while we were speaking.	*Elle est arrivée pendant que nous parlions.*
He was walking up and down.	*Il faisait les cent pas.*

- Le ***present perfect*** est utilisé pour insister sur un résultat, une conséquence, un bilan, une l'expérience. Il fait le lien entre le passé et le présent (*je viens de...*). Formation : ***have/has*** + participe passé.

I've never met him.	*Je ne l'ai jamais rencontré.*
I've known her for ages.	*Je la connais depuis des années.*
He's lived here for years.	*Ça fait des années qu'il habite ici.*
They've just arrived.	*Ils viennent d'arriver.*
How have you been?	*Comment ça va (depuis la dernière fois) ?*
It's the best car I've ever driven.	*C'est la meilleure voiture que j'aie jamais conduite.*

It's the most stupid thing I've ever heard.	*Je n'ai jamais rien entendu d'aussi stupide.*
I've never heard of it.	*Je n'en ai jamais entendu parler.*

▶ Le passif se forme à l'aide de l'auxiliaire ***be*** (*être*) et du participe passé. Il est plus courant en anglais qu'en français, c'est pourquoi il n'est pas rare de le traduire différemment (ex. : par une forme active).

She's called Mary.	*Elle s'appelle Mary.*
A noise was heard.	*Un bruit se fit entendre.*
He was caught red handed.	*Il a été pris la main dans le sac.*
They were made for each other.	*Ils étaient faits l'un pour l'autre.*
He's been gone for a week.	*Ça fait une semaine qu'il est parti.*
It's easier said than done...	*C'est plus facile à dire qu'à faire...*
He's said to be rich.	*On dit qu'il est riche.*
She was told to obey.	*On lui a dit d'obéir.*
We aren't supposed to be late.	*Nous ne sommes pas censés être en retard.*
I was pushed into this.	*On m'a forcé la main.*

▶ En anglais américain, le passif se forme généralement avec le verbe ***get***, qui tend à remplacer l'auxiliaire ***be***.

He got arrested.	*Il s'est fait arrêter.*
They got killed.	*Ils ont été tués.*

Did you get hurt?	*Tu t'es fait mal ?*
He got scared.	*Il a eu peur.*
I think I got lost!	*Je crois que je me suis perdu.*
Did he get caught?	*Il s'est fait prendre ?*

◗ Le futur proche se construit à l'aide du verbe ***go*** (*aller*) à la forme du présent continu : ***be going to*** + infinitif. Dans la langue parlée ou relâchée, ***gonna*** est la forme contractée de ***going to.***

It's going to rain.	*Il va pleuvoir.*
I'm going to find it.	*Je vais le trouver.*
What are you going to do?	*Que vas-tu faire ?*
I'm not going to tell you.	*Je n'ai pas l'intention de te le dire.*
What were you going to say?	*Qu'allais-tu dire ?*
Who's gonna help me?	*Qui est-ce qui va m'aider ?*
I thought he was gonna cry.	*Je croyais qu'il allait pleurer.*
I was just gonna leave.	*Je m'apprêtais à partir.*
Is she gonna come too?	*Est-ce qu'elle vient aussi ?*

◗ Les formes orales : plusieurs verbes sont couramment utilisés sous des formes d'argot verbal. ***I want to = I wanna; I'm going to = I'm gonna ; I have to (I've got to) = I gotta; I don't know = I dunno ; must have = musta ; let me = lemme ; give me = gimme...***

Who d'you wanna talk to?	*Tu veux parler à qui ?*
I don't wanna go now.	*J'veux pas y aller maintenant.*
What am I gonna do?	*Qu'est-ce que j'vais faire ?*
He's gonna come back.	*Il va revenir.*

I was gonna call you.	*J'allais t'appeler.*
I ain't gonna take that!	*Tu vas pas m'faire avaler ça !*
We gonna make it!	*On va y arriver !*
Sorry, I gotta go.	*Désolé, faut que j'y aille.*
He's gotta be late.	*Il doit être en retard.*
She musta been delayed.	*Elle a dû être retardée.*
"Who's that?" "I dunno."	*Qui c'est ? – J'sais pas.*
Gimme (give me) that gun!	*Donne-moi ce flingue !*
Lemme (let me) out!	*Laisse-moi sortir !*
Gotcha!	*J't'ai eu !!*

3. les constructions en *be...to*

▸ ***be...to*** : *être censé* ou *supposé faire quelque chose, devoir.*

You are to stay here with us.	*Tu es censé rester ici avec nous.*
You are not to disobey.	*Tu n'es pas censé désobéir.*
You are to call him today.	*Tu es censé l'appeler aujourd'hui.*
I am not to tell anyone.	*Je ne suis pas censé le dire à qui que ce soit.*
Am I to understand that it's too late?	*Suis-je censé comprendre qu'il est trop tard ?*
How am I to know?	*Comment suis-je censé le savoir ?*

- ***be about to*** : *être sur le point de, s'apprêter à faire quelque chose.*

She's just about to come.	*Elle est sur le point d'arriver.*
I was about to give up.	*J'étais sur le point d'abandonner.*
We were about to leave.	*On s'apprêtait à partir.*
She was about to faint.	*Elle était sur le point de s'évanouir.*
The plane is just about to land.	*L'avion s'apprête à atterrir.*
He was about to say something.	*Il allait dire quelque chose.*

- ***be able to*** : possibilité dans le futur (précédé de l'auxiliaire ***will***) possibilité dans le passé ***(was/were able to)***.

She won't be able to do it alone.	*Elle ne pourra pas y arriver seule.*
Don't worry, he'll be able to help you	*Ne t'en fais pas, il pourra t'aider.*
Will you be able to come?	*Pourras-tu venir ?*
He was able to win the match.	*Il a réussi à gagner le match.*
I wasn't able to mend his car.	*Je n'ai pas réussi à réparer sa voiture.*
Were you able to speak to him?	*Tu as réussi/Es-tu parvenu à lui parler ?*

be allowed to : *être autorisé à, avoir le droit de.*

Visitors are not allowed.	*Visites interdites.*
Will he be allowed to come?	*Aura-t-il le droit de venir ?*
I was allowed to see him.	*On m'a permis de le voir.*
Dogs are not allowed here.	*Les chiens ne sont pas admis ici.*
Smoking is not allowed in the building.	*Il est interdit de fumer dans le bâtiment.*
He was allowed one final word.	*On lui a permis de dire un dernier mot.*

be supposed to : *être censé faire quelque chose.*

We aren't supposed to be late.	*Nous ne sommes pas censés être en retard.*
I'm supposed to be at home.	*Je suis censé être à la maison.*
They are supposed to be here already.	*Ils sont censés être déjà là.*
What am I supposed to do?	*Que suis-je censé faire ?*
Is it supposed to be funny?	*C'est censé être drôle ?*
He's supposed to be crazy.	*Il est fou, à ce qu'on dit.*

4. les *tags*

Ce sont des demandes de confirmation, pour vérifier que la personne à qui l'on parle est d'accord avec soi. Ils sont toujours placés en fin de phrase.
L'auxiliaire utilisé dans la phrase de départ est repris et inversé.
Forme affirmative : ***tag*** négatif ; forme négative : ***tag*** affirmatif.

It's true, isn't it?	*C'est vrai, hein ?*
She's right, isn't she?	*Elle a raison, pas vrai ?*
We're late, aren't we?	*On est en retard, hein ?*
They're getting married, aren't they?	*Ils se marient, c'est ça ?*
It was great, wasn't it?	*C'était super, pas vrai ?*
You like him, don't you?	*Tu l'aimes bien, hein ?*
You'll be there, won't you?	*Tu y seras, n'est-ce pas ?*
She accepted, didn't she?	*Elle a accepté, pas vrai ?*
You did see her last night, didn't you?	*Vous l'avez bien vue hier soir, hein ?*
He didn't say that, did he?	*Il n'a pas dit ça, hein ?*
They'd never met, had they?	*Ils ne s'étaient jamais rencontrés, n'est-ce pas ?*

5. la forme d'insistance

Cette forme permet à celui qui parle d'insister plus particulièrement sur ce qu'il dit. C'est le seul cas où l'auxiliaire ***do/did*** est utilisé dans des phrases affirmatives. On traduit en français en ajoutant un adverbe, par exemple *bien* ou *donc*.
L'auxiliaire ***do/did*** se place devant le verbe à la forme affirmative, il renforce le sens de la phrase et est alors accentué.

Do come in!	*Entrez donc !*
Do sit down!	*Asseyez-vous donc !*
I do agree with you.	*Je suis bien d'accord avec vous.*
He did come, didn't he?	*Il est bien venu, n'est-ce pas ?*

I did tell him to call you.	*Je lui ai bien dit de t'appeler.*
Yes, we did have dinner together.	*Oui, nous avons bien dîné ensemble.*
Yes, I do mean to say that.	*Oui, c'est bien ce que je veux dire.*
I do regret telling him that.	*Je regrette bien de lui avoir dit cela.*
I do think it's true.	*Je pense bien que c'est vrai.*

6. *had better* et *would rather*

I had better : *je ferais mieux de.* ***I would rather*** : *je préférerais.*
À l'oral, ***had*** et ***would*** sont contractés en ***'d***.

You'd better hurry.	*Tu ferais mieux de te dépêcher.*
He'd better not be late again.	*Il ferait bien de ne plus être en retard.*
We'd better rest.	*On ferait mieux de se reposer.*
You'd better accept: it's a good deal.	*Tu ferais mieux d'accepter : c'est une bonne affaire.*
She'd better not tell him	*Elle ferait mieux de ne pas le lui dire.*
You'd better be careful.	*Tu ferais mieux d'être prudent.*
I'd rather not talk about it.	*Je préférerais ne pas en parler.*
I'd rather go now.	*Je préférerais partir maintenant.*

Would you rather watch TV or go to the movies?	*Préférerais-tu regarder la télé ou aller au ciné ?*
Would you rather come with us or stay here?	*Aimerais-tu venir avec nous ou rester ici ?*

7. formes suivies d'un verbe + *ing*

- Les verbes de goût ***(like, love...)*** ainsi que certaines expressions verbales ***(feel like, can't stand...)*** sont suivies d'un verbe + ***ing***.

He likes gardening.	*Il aime jardiner.*
She loves skiing.	*Elle adore faire du ski.*
I enjoy sitting by the fire.	*J'aime bien être assis près du feu.*
I hate waiting.	*Je déteste attendre.*
I can't stand losing.	*Je ne supporte pas de perdre.*
She couldn't help laughing.	*Elle n'a pas pu s'empêcher de rire.*
I feel like sleeping.	*J'ai envie de dormir.*
Do you mind opening the window?	*Cela vous ennuie d'ouvrir la fenêtre ?*
I prefer driving.	*Je préfère conduire.*
It's worth trying.	*Ça vaut la peine d'essayer.*

- Les verbes indiquant le début, la fin ou le déroulement d'une action ***(start, stop, begin, keep, continue)*** peuvent être suivis d'un verbe + ***ing***.

It started raining.	*Il se mit à pleuvoir.*
Don't start telling me you didn't know!	*Ne commence pas à me dire que tu n'étais pas au courant !*

Stop complaining!	*Arrête de te plaindre !*
He stopped smoking.	*Il s'est arrêté de fumer.*
Keep trying!	*Continuez !*
He continues accusing us.	*Il continue de nous accuser.*

- Les verbes faisant référence à une expérience, à du vécu, à une situation déjà terminée sont suivis de la forme + ***ing***.

She doesn't remember posting this letter.	*Elle ne se souvient pas avoir posté cette lettre.*
I don't remember seeing him before.	*Je ne me rappelle pas l'avoir déjà vu.*
How can I forget speaking to him?	*Comment pourrais-je oublier que je lui ai parlé ?*
He regrets not doing it himself.	*Il regrette de ne pas l'avoir fait lui-même.*
I regret lying to her.	*Je regrette de lui avoir menti.*

- Après une préposition ou expression incluant une préposition ***(before, fond of, fed up...)*** le verbe est construit avec la forme + ***ing***.

Thanks for coming.	*Merci d'être venu.*
She wants to call him before leaving.	*Elle veut l'appeler avant de partir.*
I'm fond of skiing.	*J'aime beaucoup le ski.*
I'm fed up with watching this game!	*J'en ai marre de regarder ce match !*
You'd better help me instead of watching TV.	*Tu ferais mieux de m'aider au lieu de regarder la télé.*

He's good at playing chess.	*Il est bon aux échecs.*
I'm sick of waiting.	*Je n'en peux plus d'attendre.*
He's keen on canoeing.	*Il aime bien faire du canoë.*
I saw them on arriving.	*Je les ai vus en arrivant.*
She insists on coming.	*Elle insiste pour venir.*

8. verbes suivis d'un infinitif

Les verbes exprimant un projet, une intention, un but à atteindre sont suivis de la forme : ***to*** + base verbale (ex. : ***want*** *: vouloir ;* ***intend*** *: avoir l'intention de,* etc.)

What do you want to do?	*Que veux-tu faire ?*
I'd like to rest.	*J'aimerais me reposer.*
I'd love to see her again!	*J'aimerais tant la revoir !*
I don't intend to stop now.	*Je n'ai pas l'intention de m'arrêter maintenant.*
She plans to retire next year.	*Elle prévoit de prendre sa retraite l'an prochain.*
He hopes to succeed.	*Il espère réussir.*
He didn't mean to hurt you.	*Il ne voulait pas te vexer.*
I didn't expect to win.	*Je ne m'attendais pas à gagner.*
I've decided to stay.	*J'ai décidé de rester.*
He doesn't want us to be late.	*Il ne veut pas que nous soyons en retard.*
Tell him to go home.	*Dis-lui de rentrer chez lui.*

He asked me to join him.	*Il m'a demandé de me joindre à lui.*
Don't forget to call!	*N'oublie pas d'appeler !*
I must remember to leave early.	*Il faut que je me rappelle que je dois partir de bonne heure.*
I didn't know what to do.	*Je ne savais pas quoi faire.*

9. verbes suivis de l'infinitif sans *to*

Après les verbes ***let, make,*** l'infinitif n'est pas suivi de ***to***. Le verbe ***help*** l'est parfois, ***go*** peut aussi se construire avec ***and***.

Let me see.	*Voyons voir.*
Don't let me go!	*Ne me quitte pas !*
Let me speak!	*Laissez-moi parler !*
He makes me laugh.	*Il me fait rire.*
Don't make her cry!	*Ne la fais pas pleurer !*
I'll make you pay for that!	*Tu me le paieras !*
I'll help you (to) carry your bags.	*Je vais vous aider à porter vos sacs.*
Will you help me (to) pack?	*Veux-tu m'aider à faire ma valise ?*
Go (and) get me the paper please.	*Va me chercher le journal, s'il te plaît.*
Go (and) play somewhere else!	*Va jouer ailleurs !*

10. principaux verbes transitifs

Un verbe transitif est un verbe qui se construit avec un complément d'objet direct ou COD.
La liste des verbes acceptant un COD varie du français à l'anglais. Certains verbes sont transitifs en français (ils acceptent un COD) mais pas en anglais, et vice versa.

He forced a smile.	*Il s'est forcé à sourire.*
She (dis)obeyed orders.	*Elle a (dés)obéi aux ordres.*
They entered the room.	*Ils sont entrés dans la pièce.*
I need a rest.	*J'ai besoin de repos.*
We attended a concert.	*Nous avons assisté à un concert.*
She expressed her discontent.	*Elle a fait part de son mécontentement.*
I'll do my best.	*Je ferai de mon mieux.*

11. adverbes de probabilité

- ***certainly*** *: certainement;* ***probably*** *: probablement.* Ils sont parfois précédés de ***most***, ***most probably*** *: très probablement.*

He's probably late.	*Il est probablement en retard.*
She was probably delayed.	*Elle a sans doute été retardée.*
"Will you come?" "Most probably."	*« - Tu viendras ?* *- Très probablement. »*
He'll certainly agree.	*Il sera certainement d'accord.*
Certainly not!	*Certainement pas !*

He's probably at home by now.	*Il est probablement chez lui à l'heure qu'il est.*

▸ ***likely to** ; **sure to** ; **bound to**.* Ce sont trois expressions de la probabilité utilisées devant un infinitif.
He's likely to *: il est probable que.* ***He is sure to*** *: il est sûr de.*
He is bound to *: il ne fait aucun doute que.*

He's likely to win.	*Il a de bonnes chances de gagner.*
He's sure to win.	*Il est sûr de gagner.*
He's bound to win.	*Sa victoire ne fait aucun doute.*
It was bound to happen.	*Cela ne pouvait pas ne pas arriver.*
It's likely to rain tomorrow.	*Il est probable qu'il pleuvra demain.*
She's not sure to come.	*Elle n'est pas sûre de venir.*
They are not likely to accept so easily.	*Il est peu probable qu'ils accepteront si facilement.*
It's most unlikely.	*C'est très peu probable.*

12. *I used to* et *I'm used to*

▸ ***I used to*** + base verbale s'emploie pour une habitude dans le *passé.*
I'm used to + ***ing*** s'emploie pour une habitude dans le présent.

I used to go out a lot.	*Avant, je sortais beaucoup.*
I used to live in Paris.	*Avant, j'habitais à Paris.*
I'm used to getting up early.	*J'ai l'habitude de me lever tôt.*
He used to smoke a lot.	*Avant, il fumait beaucoup.*

I'm used to travelling.	*J'ai l'habitude de voyager.*
She used to come more often.	*Avant, elle venait plus souvent.*
I'm not used to being talked to like that.	*Je n'ai pas l'habitude qu'on me parle sur ce ton.*

13. *I would like* et *I wanted*

- ***I would like (I'd like)*** : *j'aimerais/je voudrais.*
  I wanted : *je voulais.*

Would you like some tea?	*Aimeriez-vous du thé ?*
Would you like some more?	*Voudriez-vous en reprendre ?*
I'd like a glass of water.	*J'aimerais un verre d'eau.*
I wouldn't like to go there on my own.	*Je n'aimerais pas y aller seul.*
I wanted to talk to you.	*Je voulais te parler.*
I didn't want to be late.	*Je ne voulais pas être en retard.*
I just wanted to help.	*Je voulais juste me rendre utile.*
I just wanted to be alone for a while.	*Je voulais juste être seul un moment.*

14. *I like* et *I love*

- ***I like*** : *j'aime bien* (amitié).
  I love : *j'aime* (amour, passion).

I think she likes me.	*Je crois qu'elle m'aime bien.*
Do you really love him?	*Tu l'aimes vraiment ?*

He's madly in love.	*Il est fou amoureux.*
I'm in love with you.	*Je suis amoureux de toi.*
He says he doesn't love her anymore.	*Il dit qu'il ne l'aime plus.*
I really like swimming.	*J'aime beaucoup la natation.*
What do you like best: singing or dancing?	*Qu'est-ce que tu aimes le plus : chanter ou danser ?*

15. emploi de ***I nearly***

- ***I nearly*** suivi d'un verbe au prétérite se traduit par la tournure *j'ai failli* + infinitif (ou l'adverbe *presque*).

I nearly forgot.	*J'ai failli oublier.*
She nearly got killed.	*Elle a failli se faire tuer.*
We nearly missed the train.	*Nous avons failli rater le train.*
I nearly called her, but I changed my mind.	*J'ai failli l'appeler, mais j'ai changé d'avis.*
We were nearly there.	*Nous étions presque arrivés.*
He nearly fainted.	*Il a failli s'évanouir.*
She nearly cried.	*Elle a failli pleurer.*

16. emploi de ***hardly***

- L'adverbe ***hardly*** signifie *à peine, guère, presque pas.* Il se place devant le verbe pour donner un sens restrictif.

I hardly know her.	*Je la connais à peine.*
I can hardly believe it.	*J'ai du mal à le croire.*

We hardly saw them.	*Nous les avons à peine vus.*
I hardly had time to tell him.	*C'est à peine si j'ai eu le temps de le lui dire.*
She hardly speaks English.	*Elle ne parle guère anglais.*
I hardly know what to do.	*Je ne sais pas vraiment quoi faire.*
He hardly ever drives.	*Il ne conduit presque jamais.*

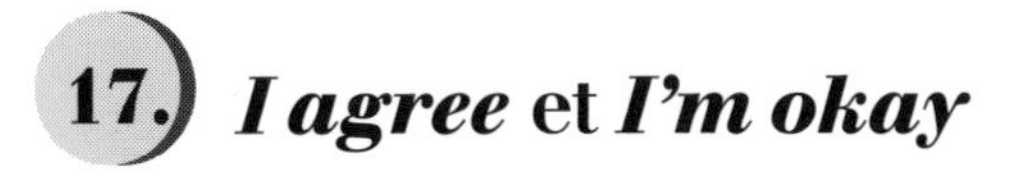

17. *I agree* et *I'm okay*

▶ ***I agree*** : *je suis d'accord*/***I don't agree*** : *je ne suis pas d'accord.*
I'm okay : *je vais bien*/***I'm not okay*** : *je ne vais pas bien.*

Do you agree or not?	*Tu es d'accord ou pas ?*
I agree with you.	*Je suis d'accord avec toi.*
I don't agree at all.	*Je ne suis pas du tout d'accord.*
I'm afraid he'll never agree.	*J'ai bien peur qu'il ne soit jamais d'accord.*
Are you okay?	*Ça va ?*
Don't worry, I'm okay.	*T'en fais pas, je vais bien.*
If it's okay with you.	*Si ça ne te dérange pas.*
I could feel she was not okay.	*Je sentais qu'elle n'allait pas bien.*

18. *dead* et *died*

▸ ***dead*** : *mort(e)* adjectif, utilisé avec le verbe ***be*** (présent ou prétérite).
died : prétérite affirmatif du verbe ***die*** *mourir*.

Look! He's dead.	*Regarde ! Il est mort.*
He died in 98.	*Il est mort en 98.*
She must be dead by now.	*Elle doit être morte à l'heure qu'il est.*
When the doctor arrived, he was already dead.	*Quand le docteur est arrivé, il était déjà mort.*
She died of a heart-attack.	*Elle est morte d'une crise cardiaque.*
He died alone in his house.	*Il est mort seul chez lui.*
She died on the spot.	*Elle est morte sur le coup.*

19. *he's gone* et *he's been*

▸ ***he's gone*** : *il est parti* (dans tel endroit) et *il y est encore en ce moment.*
he's been : *il est allé* (dans tel endroit) et *il en est revenu.*

He's gone to New York.	*Il est parti à New York.*
He's been gone for a long time.	*Ça fait un moment qu'il est parti.*
He's just gone out.	*Il vient de sortir.*
He's been all over the world.	*Il est allé dans le monde entier.*

Have you ever been to Oslo?	*Es-tu déjà allé à Oslo ?*
I've been to Italy, but I've never been to Austria.	*Je suis allé en Italie, mais jamais en Autriche.*
He's gone running.	*Il est parti courir.*

20. *there is* et *there are*

there is/there's : *il y a* (+ singulier) ***there are*** : *il y a* (+ pluriel). Attention ! ***There are*** tend à disparaître et à laisser la place à ***there is.***

There's a man at the door.	*Il y a un homme à la porte.*
There's no doubt about it.	*Ça ne fait aucun doute.*
Are there any questions?	*Y a-t-il des questions ?*
There are many questions left.	*De nombreuses questions demeurent.*
Let me know if there's any problem.	*Faites-moi savoir s'il y a un problème.*
There's too many people, let's go somewhere else.	*Il y a trop de monde, allons ailleurs.*

21. *there are* et *they are*

there are : *il y a* (+ pluriel), ***they are*** : *ils sont* (+ adjectif).

They are late again!	*Ils sont encore en retard !*
They are such nice people!	*Ils sont si gentils !*
There are so many people!	*Il y a une telle foule !*
There are days like that.	*Il y a des jours comme ça.*

They are so happy together!	*Ils sont si heureux ensemble !*
There are just a few houses.	*Il n'y a que quelques maisons.*

22. « se réveiller/se lever »

- ***I wake up*** : *je me réveille*, ***I'm up*** : *je suis réveillé.*
  I get up : *je me lève.*

I always wake up at 7.	*Je me réveille toujours à 7 h.*
Don't forget to wake me up.	*N'oublie pas de me réveiller.*
I woke up with a headache.	*Je me suis réveillé avec un mal de tête.*
Mike, are you up?	*Mike, tu es réveillé ?*
I was up early.	*Je me suis réveillé tôt.*
Get up or you'll be late!	*Lève-toi, sinon tu seras en retard !*
Sorry. I got up late.	*Désolé. Je me suis levé tard.*

23. usage de *for* et *to*

En français, la préposition *pour* introduit le complément de but et est utilisée indifféremment. En anglais, on emploie les prépositions ***for*** et ***to*** selon l'élément qui est introduit.

- ***for*** s'utilise devant un pronom ou un nom (voire un nom verbal en -***ing***).

It's for you.	*C'est pour toi.*
Sorry, this car is not for sale.	*Désolé, cette voiture n'est pas à vendre.*
This is for protecting knees.	*C'est pour protéger les genoux.*

They stopped for a drink.	*Ils se sont arrêtés pour boire un coup.*
For most of us, he was wrong.	*Pour la plupart d'entre nous, il avait tort.*
Those glasses are for watching in 3D.	*Ces lunettes servent à voir en 3D.*

▸ ***to*** s'utilise devant un infinitif ; s'il y a une négation, il est précédé de ***not***.

He came to see me.	*Il est venu (pour) me voir.*
We must leave early to be on time.	*Nous devons partir tôt pour être à l'heure.*
I'll try not to cry.	*J'essaierai de ne pas pleurer.*
Let's call her to make sure he is home.	*Passons-lui un coup de fil pour s'assurer qu'il est à la maison.*
To put it this way, there's very little hope left.	*Pour dire les choses ainsi, il restait très peu d'espoir.*
Ready to go?	*Prêt à partir ?*

24. traduction de « depuis »

En français, l'adverbe de temps *depuis* est utilisé indifféremment. En anglais, on emploie les prépositions ***for*** et ***since*** selon la nature du complément introduit.

▸ ***for*** renvoie à la durée de l'action (*en heures, jours, mois, années...*).

I've been here for ages!	*Je suis ici depuis des lustres !*
It's been raining for hours.	*Ça fait des heures qu'il pleut.*

I've been waiting for 5 mns.	*J'attends depuis 5 minutes.*
We haven't lost a match for two months!	*Ça fait deux mois qu'on n'a pas perdu un match !*
She's lived here for twenty years.	*Cela fait vingt ans qu'elle habite ici.*
I've only known her for a short time.	*Je ne la connais que depuis peu.*

- ***since*** renvoie au début de l'action, à la date précise où elle a commencé.

They haven't moved since 1978.	*Ils n'ont pas déménagé depuis 1978.*
She's been relieved since she heard the news.	*Elle est soulagée depuis qu'elle a appris la nouvelle.*
He's been like this since she left him.	*Il est comme ça depuis qu'elle l'a quitté.*
Many things have changed since your last visit.	*Beaucoup de choses ont changé depuis ta dernière visite.*
It's been like this since last week.	*C'est comme ça depuis la semaine dernière.*
How have you been since we last met?	*Comment ça va depuis notre dernière rencontre ?*

25. *for* et *during*

- ***For*** et ***during*** signifient *pendant/durant* lorsqu'ils sont employés avec le prétérite, ***for*** : devant une durée (comme avec le *present perfect*), ***during*** devant un événement.

I waited for an hour.	*J'ai attendu (pendant) une heure.*

She cried for a long time.	*Elle a pleuré un long moment.*
I saw her during the holidays.	*Je l'ai vue pendant les vacances.*
It happened during the war.	*Ça s'est passé pendant la guerre.*
For years nothing changed.	*Pendant des années, rien n'a changé.*
He was ill for months.	*Il a été malade pendant des mois.*
He called during the match.	*Il a appelé pendant le match.*

26. *let* et *leave*

> ◗ ***let, let, let*** : *laisser, permettre.*
> ***leave, left, left*** : *laisser (en l'état), quitter.*

Let me in!	*Laisse-moi entrer !*
Let me speak!	*Laissez-moi parler !*
I won't let you down.	*Je ne te laisserai pas tomber.*
Let me tell you something.	*Laissez-moi vous dire une chose.*
I won't let you!	*Je ne te laisserai pas faire !*
Don't leave the door open!	*Ne laisse pas la porte ouverte !*
Leave me alone!	*Laisse-moi tranquille !*
Leave it to me.	*Je m'en débrouille.*
He left her.	*Il l'a quittée.*
There was nothing left to do.	*Il n'y avait rien d'autre à faire.*

There's still a little hope left.	*Il reste encore un peu d'espoir.*
Children musn't be left alone.	*On ne doit pas laisser les enfants tout seuls.*

27. emploi de *a*/*an*

L'article indéfini ***a, an*** (*un, une*) se retrouve aussi dans de nombreuses expressions dans lesquelles il n'est pas forcément traduit de cette façon.

He calls once a day.	*Il appelle une fois par jour.*
I run once a week.	*Je cours une fois par semaine.*
They visit us twice a year.	*Ils nous rendent visite deux fois par an.*
She's a babe!	*Elle est canon !*
What an idiot!	*Quel idiot !*
What a surprise!	*Quelle surprise !*
It's such a disgrace!	*Quelle honte !*
He's such a nice man.	*C'est un homme charmant.*
He's a doctor.	*Il est médecin.*
She's a nurse.	*Elle est infirmière.*
Just a minute, please.	*Une seconde, s'il vous plait.*
I'm in a hurry.	*Je suis pressé.*
It's a lot.	*Ça fait beaucoup.*
He smokes a lot.	*Il fume beaucoup.*
It's a no-man's-land	*C'est une zone interdite.*

28. emploi de ***the***

- L'article défini ***the*** s'emploie pour un objet, un lieu, une personne clairement identifiés. Il sert à préciser, à montrer du doigt.

The school I go to is here.	*L'école que je fréquente est ici.*
The hospital is near the station.	*L'hôpital est près de la gare.*
There's a car park near the church.	*Il y a un parking près de l'église.*
Here are the people I told you about.	*Voici les gens dont je t'ai parlé.*
The places I've visited are in red on the map.	*Les endroits où je suis allé sont en rouge sur la carte.*
The US is huge.	*Les USA sont immenses.*
The president of the US lives in the White House.	*Le président des USA habite la Maison-Blanche.*
Housing is a problem in the UK.	*Le logement est un problème au Royaume-Uni.*
The Loire Valley is famous all over the world.	*La vallée de la Loire est célèbre dans le monde entier.*
The Riviera is very expensive.	*La Côte d'Azur est très chère.*
The Dr Jones spoke on the radio.	*Le célèbre Dr Jones est passé à la radio.*
He lives in the country.	*Il vit à la campagne.*
She loves the sea.	*Elle adore la mer.*
You can call during the day.	*Tu peux appeler pendant la journée.*

Things were different at the turn of the century.	*La situation était différente au début du siècle.*
It happened in the twinkling of an eye.	*Cela est arrivé en un clin d'œil.*
I found this on the internet.	*J'ai trouvé ça sur internet.*
Do you play the piano?	*Jouez-vous du piano ?*
I play the guitar.	*Je joue de la guitare.*
I met her on the train.	*Je l'ai rencontrée dans le train.*
I must take the bus, see you!	*Je dois prendre le bus, à plus !*
He's busy at the moment.	*Il est occupé en ce moment.*
Nobody believed him at the time.	*À l'époque, personne ne l'a cru.*
He drives most of the time.	*La plupart du temps, c'est lui qui conduit.*

◗ Article zéro ou absence d'article. Dans de nombreux exemples, l'article disparaît : devant une généralité, les noms de repas, les sports, hobbies, pays, États américains, régions...

Do you like school?	*Aimes-tu l'école ?*
She went to hospital.	*Elle a été hospitalisée.*
She goes to church twice a week.	*Elle va à la messe deux fois par semaine.*
People are strange.	*Les gens sont bizarres.*
Scotland is bigger than Ireland.	*L'Écosse est plus grande que l'Irlande.*
California is a rich state.	*La Californie est un État riche.*
Lake Michigan often freezes.	*Le lac Michigan gèle souvent.*
President Kennedy was shot in 1963.	*Le président Kennedy a été tué en 1963.*

Dr Jones lives here. — *Le Dr Jones habite ici.*

Breakfast is at 8. — *Le petit déjeuner est à 8 h.*

Dinner's ready! — *Le dîner est prêt !*

Did you watch TV last night? — *Tu as regardé la télé hier soir ?*

What's on TV tonight? — *Qu'y a-t-il à la télé ce soir ?*

I play football and golf. — *Je joue au foot et au golf.*

She's fond of canoeing. — *Elle aime beaucoup le canoë.*

Archery can be dangerous. — *Le tir à l'arc peut être dangereux.*

He came last week. — *Il est venu la semaine dernière.*

Be careful next time. — *Fais attention la prochaine fois.*

29. pronoms

Un pronom s'emploie à la place d'un nom et évite de répéter celui-ci.

- Pronoms sujets : ***I, you, he, she, it we, you, they***. ***It*** s'emploie pour un objet ou un animal ; ***they*** correspond à *ils* ou *elles*. ***You*** est parfois traduit par *on*.

I'm home! — *Je suis rentré !*

You idiot! — *Espèce d'idiot !*

You never know. — *On ne sait jamais.*

Where is he? — *Où est-il ?*

She's so nice! — *Elle est si gentille !*

They are not here yet.	*Ils ne sont pas encore là.*
He and I are friends.	*On est amis, lui et moi.*

- Pronoms compléments : ***me, you, him, her, it, us, you, them***.
Le pronom complément se place toujours après le verbe et non avant comme en français.

It's not me!	*C'est pas moi !*
Dear me!	*Oh mon Dieu !*
It'll do me good.	*Ça me fera du bien.*
Give it to me.	*Donne-le moi.*
I can see you!	*Je te vois !*
See you!	*À bientôt !*
If I were you, I would tell her.	*Si j'étais toi, je le lui dirais.*
Don't tell him, ok?	*Ne lui dis pas, d'accord ?*
Come with us!	*Viens avec nous !*
I'll find them.	*Je vais les trouver.*

- Pronoms réfléchis : ***myself, yourself, himself, herself, ourselves***...
Ils correspondent en français à : *moi-même, toi-même*, etc.

Did you enjoy yourself?	*Tu t'es bien amusé ?*
Help yourself!	*Servez-vous !*
Make yourself at home!	*Faites comme chez vous !*
Get it yourself!	*Va le chercher toi-même !*
I was by myself.	*J'étais tout seul.*
Tell him yourself!	*Dis-le-lui toi-même !*

He keeps himself to himself.	*Il ne se livre pas beaucoup.*
"How are you?" "Fine, and yourself?"	*« - Comment ça va ?* *- Bien, et toi ? »*
She's sure of herself.	*Elle est sûre d'elle.*

- Pronoms possessifs ***mine, yours, his, her, its, ours, yours, theirs***.
Ils correspondent en français à : *le mien, le tien*, etc.

It's not yours, it's mine!	*Ce n'est pas le tien, c'est le mien !*
My car is recent, hers is not.	*Ma voiture est récente, pas la sienne.*
She's a friend of mine.	*C'est une de mes amies.*
What's yours?	*Qu'est-ce que tu prends ?*
I'm all yours.	*Je suis à vous.*
Yours sincerely,...	*Cordialement,... (lettre)*

30. ***once*** et ***twice***

Les adverbes ***once***, *une fois* et ***twice***, *deux fois*, s'emploient pour indiquer la fréquence d'une action.

Take this once a day.	*Prenez-en une fois par jour.*
Call me once you get there.	*Appelle-moi une fois que tu seras arrivé.*
She hesitated only once.	*Elle n'a hésité qu'une seule fois.*
Once again, where were you?	*Encore une fois, où étais-tu ?*
I see her once in a while.	*Je la vois une fois de temps en temps.*

Listen to me, for once!	*Écoute-moi pour une fois !*
He answered at once.	*Il a répondu immédiatement.*
They arrived all at once.	*Ils sont arrivés tous en même temps.*
They train twice a week.	*Ils s'entraînent deux fois par semaine.*
It's twice as expensive.	*C'est deux fois plus cher.*
Once bitten, twice shy.	*Chat échaudé craint l'eau froide.*

31. emploi de ***enough***

Traduction de *assez*. ***Enough*** se place derrière l'adjectif (ex. : ***big enough***, *assez gros*) mais devant le nom (ex. : ***enough time***, *assez de temps*).

I've had enough!	*J'en ai assez !*
That's enough!	*Ça suffit !*
Enough said!	*Assez parlé !*
Enough is enough!	*Trop, c'est trop !*
That's good enough.	*C'est assez bien.*
It wasn't good enough for him.	*Ce n'était pas assez bien pour lui.*
Have you got enough money?	*As-tu assez d'argent ?*
That'll be enough.	*Ça ira/suffira.*
It's not enough.	*Ce n'est pas assez.*
Is it warm enough?	*C'est assez chaud ?*
There was enough food.	*Il y avait assez à manger.*

We didn't have enough time.	*Nous n'avons pas eu assez de temps.*
Oddly enough, I had the same impression.	*C'est curieux, j'ai eu la même impression.*
Surprisingly enough, they never found him.	*Bizarrement, ils ne l'ont jamais retrouvé.*

32. traduire « autre »

On utilise les adjectifs ***other***, *autre* et ***another***, *un autre*. ***Other*** ne prend pas de marque du pluriel, sauf quand il est utilisé comme nom : ***the others***, *les autres*. ***Another*** s'écrit toujours en un seul mot.

I saw him the other day.	*Je l'ai vu l'autre jour.*
This one or the other?	*Celui-ci ou l'autre ?*
I've got another idea!	*J'ai une autre idée !*
Give me another plate.	*Donne-moi une autre assiette.*
He's like no other.	*Il est unique en son genre.*
Take this one, I'll take the other.	*Prends celui-ci, je prendrai l'autre.*
The other three said nothing.	*Les trois autres n'ont rien dit.*
Would you like another glass?	*Aimeriez-vous un autre verre ?*
She's just another fool.	*Ce n'est qu'une idiote.*
All the others agreed.	*Tous les autres étaient d'accord.*

◗ ***else*** est un adverbe employé après les composés de ***some/any/every*** ou avec les pronoms interrogatifs ***who, what, where***.

What else do you need?	*Qu'est-ce qu'il te faut d'autre ?*
Everyone else was asleep.	*Tous les autres dormaient.*
Did anyone else call?	*Quelqu'un d'autre a-t-il appelé ?*
It must be somebody else.	*Ça doit être quelqu'un d'autre.*
Everything else was in order.	*Tout le reste était en ordre.*
You'd better obey, or else...	*Tu as intérêt à obéir, sinon...*
What else?	*Quoi d'autre ?*
Who else was there?	*Qui d'autre était présent ?*
Who else did you speak to?	*À qui d'autre as-tu parlé ?*
Anything else?	*Il y a autre chose ?*

33. traduire « même »

◗ ***same*** est un adjectif (ex. : ***the same day****, le même jour*). Il peut aussi être employé comme substantif, c'est-à-dire comme nom (*le même, la même...*)

I arrived the same day as you.	*Je suis arrivé le même jour que toi.*
It's not the same colour.	*Ce n'est pas la même couleur.*
I want the same as her.	*Je veux la même chose qu'elle.*
It's just the same.	*C'est exactement pareil.*
"I'm exhausted!" "Same here! "	*« - Je suis épuisé. - Comme moi ! »*

It's all the same.	*C'est du pareil au même.*
All the same, he could have told us!	*Quand même, il aurait pu nous prévenir !*

➤ ***even*** est un adverbe. Il s'emploie principalement dans l'expression ***even if*** : *même si*. Il est aussi utilisé avec ***more*** (ou tout autre comparatif) pour dire *encore plus...*

I'm not even sure!	*Je n'en suis même pas sûr !*
I wouldn't tell you, even if I knew the answer.	*Je ne te le dirais pas, même si je connaissais la réponse.*
Even she, was surprised.	*Même elle, a été surprise.*
He speaks even in his sleep!	*Il parle même dans son sommeil.*
It's even more expensive!	*C'est encore plus cher !*
It's even better!	*C'est encore mieux !*

34. adverbes en *-ly*

Les adverbes de manière sont généralement construits avec la terminaison ***-ly***. Ils sont très courants et souvent couplés à des adjectifs.

It's only a few miles away.	*Il n'y a que quelques km.*
Speak slowly please.	*Parlez lentement SVP.*
She arrived too quickly.	*Elle est arrivée trop vite.*
He's really incredible!	*Il est vraiment incroyable !*
They are incredibly rich.	*Ils sont incroyablement riches.*
I'm terribly sorry.	*Je suis terriblement désolé.*

"Can you give me a hand?" "Certainly".	*« - Peux-tu me donner un coup de main ?* *- Certainement. »*
"Will he accept?" "Probably".	*« - Est-ce qu'il acceptera ?* *- Probablement. »*
They finally found him.	*Ils ont fini par le trouver.*
Unfortunately, it was too late.	*Malheureusement, il était trop tard.*
When I saw him he was seriously ill.	*Quand je l'ai vu, il était gravement malade.*

35. traduire « toujours »

▸ ***always*** est un adverbe. Il signifie *en permanence, tout le temps.*

It's always the same!	*C'est toujours pareil !*
She thinks she's always right.	*Elle croit qu'elle a toujours raison.*
Why do you always lie?	*Pourquoi est-ce que tu mens tout le temps ?*
He always complains.	*Il se plaint tout le temps.*
He's always dreaming!	*Il passe son temps à rêver.*
He had always said he would come back.	*Il avait toujours dit qu'il reviendrait.*

▸ ***still*** est un adverbe. Il signifie *toujours/encore en ce moment.* On peut l'employer devant ***not*** dans une phrase négative.

Are you still tired?	*Tu es toujours fatigué ?*
I still don't like the idea.	*Cette idée ne me plaît toujours pas.*

I still can't believe it.	*Je n'arrive toujours pas à le croire.*
I still don't know what to think.	*Je ne sais toujours pas quoi en penser.*
I'm still shocked.	*Je suis encore sous le choc.*
I realised he was still in bed.	*Je me suis rendu compte qu'il était toujours au lit.*

- ***not yet*** est employé lorsque l'action n'a toujours pas (pas encore) eu lieu. En ce sens, il est fréquent avec le *present perfect.*

I'm not ready yet.	*Je ne suis toujours pas prêt.*
She hasn't called yet.	*Elle n'a toujours pas appelé.*
I'm afraid he hasn't arrived yet.	*Je crains qu'il ne soit toujours pas arrivé.*
I haven't found my keys yet.	*Je n'ai toujours pas trouvé mes clés.*
No, I haven't seen her yet.	*Non, je ne l'ai pas encore (toujours pas) vue.*
"Is he out of the clinic yet?" "No, not yet."	*« - Est-il sorti de la clinique ? - Non, toujours pas. »*
Wait! I haven't finished yet!	*Attends ! Je n'ai pas encore terminé !*

36. traduire « déjà »

- ***ever*** est utilisé dans les questions. Il permet de demander si l'action a déjà eu lieu une fois. La personne à laquelle on s'adresse a-t-elle déjà fait cette expérience dans sa vie ? Il est employé avec le *present perfect*, surtout sous la forme ***Have you ever...?***

Have you ever been to Asia?	*Es-tu déjà allé en Asie ?*
Have you ever talked to him?	*Est-ce que tu lui as déjà parlé ?*
Have you ever tried bungee jumping?	*Tu as déjà essayé le saut à l'élastique ?*
Have you ever told him?	*Tu lui as déjà dit ?*
Have you ever visited Rome?	*As-tu déjà visité Rome ?*
Has he ever come back here?	*Est-il déjà revenu ici ?*

▶ ***yet*** est utilisé dans les questions. On l'emploie si l'on s'attend à un événement (ex. : une naissance, l'arrivée d'un ami). Il est donc principalement employé avec le *present perfect.*

Have you had breakfast yet?	*Tu as déjà pris ton petit déjeuner ?*
Has he called yet?	*Il a déjà appelé ?*
Have you tried yet?	*As-tu déjà essayé ?*
Is the baby born yet?	*Le bébé est-il déjà né ?*
Is he here yet?	*Est-il déjà là ?*
Have they started yet?	*Ont-ils déjà commencé ?*

▶ ***again*** s'emploie dans les questions, seulement lorsque l'on redemande une chose que l'on a oubliée (ex. : nom d'une personne).

What's your name again?	*Tu t'appelles comment, déjà ?*
Whose car is this again?	*À qui est cette voiture, déjà ?*
Who's his boss again?	*Qui est son patron, déjà ?*
Why is he here again?	*Pourquoi est-il là, déjà ?*

Where did she go again?	*Où est-elle allée, déjà ?*
When is she arriving again?	*Quand arrive-t-elle, déjà ?*

▸ ***already*** s'utilise dans les affirmations. On constate que la chose a déjà eu lieu. Il est employé avec le *present perfect*, ou avec le présent.

He's back already.	*Il est déjà rentré.*
I can't believe she's already there!	*Je n'arrive pas à croire qu'elle soit déjà arrivée !*
I'm tired already.	*Je suis déjà fatigué.*
I've already seen that film.	*J'ai déjà vu ce film.*
Yes, I've already eaten.	*Oui, j'ai déjà mangé.*
He says he's already finished – I doubt it.	*Il dit avoir déjà terminé – j'en doute.*

37. traduire « encore »

▸ ***again*** est un adverbe qui traduit une idée de répétition *(de nouveau).*

Try again!	*Essaie encore !*
You are late again.	*Tu es encore en retard.*
Don't do it again!	*Ne recommence pas !*
She's won again.	*Elle a encore gagné.*
I've told her again and again.	*Je n'ai pas cessé de le lui dire.*
What? Again?	*Quoi ? Encore ?*

▸ ***still*** est un adverbe qui signifie *encore/toujours en ce moment.*

He's still in bed.	*Il est encore (toujours) au lit.*
He's still in love with her.	*Il est encore (toujours) amoureux d'elle.*
I'm still hungry.	*J'ai encore faim.*
She must still be on the road.	*Elle doit encore être en route.*
I'm still waiting.	*J'attends toujours.*
He is still on the phone.	*Il est encore au téléphone.*

38. quantifieurs

Les quantifieurs servent à préciser la quantité (grande, petite, nulle...). Plusieurs varient selon que la quantité dont on parle est dénombrable ou indénombrable (ex. : ***many***, *beaucoup ;* dénombrable/***much***, *beaucoup ;* indénombrable). Est dénombrable, ce que l'on peut compter (des pommes, des maisons, des livres). Ce qui ne peut l'être est indénombrable (le temps, l'argent, la confiture, la pollution...). Les quantifieurs sont ici classés du plus petit au plus grand.

▸ ***no (not any)*** signifie *aucun, pas de.* Il est utilisé pour une absence totale. Il correspond à la quantité zéro.

There's no problem.	*Il n'y a aucun problème.*
It's no surprise.	*Ce n'est pas une surprise.*
No need to worry.	*Pas la peine de s'inquiéter.*
He was no stranger to this.	*Il n'était pas étranger à l'affaire.*
I've got no idea.	*Je n'en ai aucune idée.*

He's no genius...	*Ce n'est pas une lumière...*
Wait! Say no more.	*Attendez ! N'en dites pas plus.*
No pain, no gain.	*Si tu veux progresser, il faut en baver.*

◗ ***(a) little*** est un indénombrable, il s'utilise devant un nom singulier (ex. : du temps, de l'eau). Il fonctionne aussi tout seul. ***Little*** : *peu,* ***a little*** : *un peu.* ***A little*** est parfois employé devant un adjectif (ex. : ***a little sad*** : *un peu triste*).

She said little.	*Elle a dit peu de chose.*
He got there little by little.	*Il y est arrivé peu à peu.*
I'd like very little wine.	*Je voudrais très peu de vin.*
He smokes a little.	*Il fume un petit peu.*
I'd like a little of everything.	*Je voudrais un peu de tout.*
It's a little too much.	*C'est un peu trop.*
I got a little less than you.	*J'ai eu un peu moins que toi.*
I need a little time	*J'ai besoin d'un peu de temps.*
I'm a little sad.	*Je suis un peu triste.*

◗ ***few*** est un dénombrable, il s'utilise devant un nom pluriel (ex. : des pommes). Contrairement à ***little***, il ne peut se placer devant un adjectif (mais il peut être employé seul). ***Few*** : *peu,* ***a few*** : *quelques, plusieurs.*

I just want a few oysters.	*Je ne veux que quelques huîtres.*
A few of us were there.	*Plusieurs d'entre nous étaient présents.*
A few minutes passed.	*Plusieurs minutes se sont écoulées.*

He'll be here in a few minutes	*Il sera là dans quelques minutes.*
Few people know him.	*Peu le connaissent.*
Few are aware of the problem.	*Peu de gens sont conscients du problème.*

▶ ***more*** signifie *plus*. Il s'emploie devant des noms dénombrables ou indénombrables.

I paid much more.	*J'ai payé beaucoup plus.*
More visitors were expected.	*On attendait plus de visiteurs.*
It was a little more expensive.	*C'était un peu plus cher.*
A few more days and she'll be home!	*Quelques jours de plus et elle sera à la maison !*
Some more?	*Vous en reprenez ?*
Don't do it any more!	*Ne recommence plus !*
He was more surprised than disappointed.	*Il était plus surpris que déçu.*
I can offer $50, no more.	*Je peux offrir 50$ mais pas plus.*
He's no more interested.	*Il n'est plus intéressé.*
She's no more.	*Elle n'est plus de ce monde.*
No more fighting, OK?	*On ne se dispute plus, OK ?*

▶ ***less*** signifie *moins*. Il s'emploie devant des noms indénombrables. La forme dénombrable/pluriel ***fewer*** tend à disparaître pour être remplacée par ***less***.

I eat less than I used to.	*Je mange moins qu'avant.*
We had less rain last year.	*Nous avons eu moins de pluie l'an passé.*

I must smoke less.	*Il faut que je fume moins.*
She feels less tired today.	*Elle se sent moins fatiguée aujourd'hui.*
It's much mess exciting.	*C'est beaucoup moins intéressant.*
He's no less than a smuggler.	*Ce n'est rien de moins qu'un escroc.*

- ***more and more*** : *de plus en plus* (dénombrable ou indénombrable).
less and less : *de moins en moins* (pluriel plus rare : ***fewer and fewer***).

I love you more and more.	*Je t'aime de plus en plus.*
More and more people agree with him.	*De plus en plus de gens sont d'accord avec lui.*
It's getting more and more difficult.	*Ça devient de plus en plus difficile.*
He earns more and more.	*Il gagne de plus en plus.*
He's less and less present.	*Il est de moins en moins présent.*
This series is less and less interesting.	*Cette série est de moins en moins intéressante.*
Fewer and fewer people go to church.	*De moins en moins de gens vont à l'église.*

- ***more than*** signifie *plus que...*, ***less than*** *moins que...*

It's more than I thought	*C'est plus que je ne le croyais.*
It's more than I can afford.	*C'est plus que ce que je peux offrir.*
It's more than you can imagine.	*C'est plus que tu ne l'imagines.*

She's more than a friend.	*C'est plus qu'une amie.*
I'm more than a little interested.	*Je suis intéressé, et pas qu'un peu.*
Less than half of the people support the Prime Minister.	*Moins de la moitié des gens soutiennent le Premier ministre.*
Less than 30% of the voters turned up.	*Moins de 30 % des électeurs se sont déplacés.*

- ***some/any*** se traduisent par *du, de la, des.* Ils fonctionnent aussi bien avec des noms dénombrables qu'avec des indénombrables. ***Some*** s'emploie dans les affirmations ou propositions (ex. : ***Some tea?*** *Du thé ?*). ***Any*** s'emploie dans les questions ou négations.

I'll go there some day.	*J'irai un jour.*
Some tea or some coffee?	*Du thé ou du café ?*
Would you like some more?	*Vous en reprenez ?*
Did you have any snow?	*Avez-vous eu de la neige ?*
I didn't buy any meat.	*Je n'ai pas acheté de viande.*
Do you have any idea where he has gone?	*Tu as une idée de l'endroit où il est allé ?*

- ***someone (somebody)/anyone (anybody)*** : *quelqu'un.*
Dans une phrase affirmative, ***anybody*** signifie *n'importe qui.*
everyone (everybody) : *tout le monde.*
no one (nobody) : *personne.*

Someone's at the door.	*Il y a quelqu'un à la porte.*
"Has anybody seen her?" "She's got to be somewhere."	*« - Quelqu'un l'a-t-il vue ? - Elle doit bien être quelque part. »*

Anybody can see that.	*N'importe qui peut s'en rendre compte.*
Anybody home?	*Y'a quelqu'un ?*
Anybody called?	*Quelqu'un a téléphoné ?*
Nobody knows for sure.	*Personne n'en est sûr.*
Everyone loved her.	*Tout le monde l'aimait.*

- ***somewhere/anywhere*** : *quelque part.*
Dans une phrase affirmative, ***anywhere*** signifie *n'importe où.*
everywhere : *partout.*
nowhere : *nulle part.*

I'm not going anywhere.	*Je refuse d'aller où que ce soit.*
Did you go anywhere last night?	*Es-tu allé quelque part hier soir ?*
I've seen her somewhere, but where?	*Je l'ai vue quelque part, mais où ?*
Today, it's raining everywhere in France.	*Aujourd'hui il pleut partout en France.*
He's nowhere to be found.	*On ne le trouve nulle part.*
They live in the middle of nowhere.	*Ils habitent en pleine brousse.*

- ***something/anything*** : *quelque chose.*
Dans une phrase affirmative, ***anything*** signifie *tout, n'importe quoi.*
everything : *tout.*
nothing : *rien.*

Everything is ready.	*Tout est prêt.*
She told us everything.	*Elle nous a tout dit.*
Something's the matter?	*Quelque chose ne va pas ?*

There's something burning.	*Il y a quelque chose qui brûle.*
Something tells me it's too late.	*Quelque chose me dit qu'il est trop tard.*
Can I get you anything?	*Puis-je vous apporter quelque chose ?*
He said something stupid.	*Il a dit une idiotie/bêtise.*

◗ *either, neither/both*

either : *l'un ou l'autre* ; ***neither*** : *ni l'un, ni l'autre* ; ***both*** : *les deux.*

It's either you or me.	*C'est toi ou moi.*
Either way, it's okay with me.	*De toute façon, ça me va.*
Either day suits me.	*L'un ou l'autre jour me conviennent.*
He's either stupid or crazy.	*Soit il est idiot, soit il est fou.*
Neither of us speaks Japanese.	*Aucun de nous ne parle japonais.*
Neither of them can help us.	*Aucun d'eux ne peut nous aider.*
He can neither read nor write.	*Il ne sait ni lire, ni écrire.*
Both of us saw it.	*Nous l'avons vu tous les deux.*
Both passengers were killed.	*Les deux passagers ont été tués.*
Both he and I knew her.	*Nous la connaissions tous deux.*

▶ ***much*** : *beaucoup*, s'emploie devant un nom indénombrable singulier.

Thank you very much.	*Merci beaucoup.*
I can't tell you much.	*Je ne peux pas vous en dire beaucoup.*
Much depends on him.	*Cela dépend beaucoup de lui.*
It's pretty much the same.	*C'est presque la même chose.*
I haven't got much left.	*Il ne me reste pas grand-chose.*
He drinks too much.	*Il boit trop.*

▶ ***many*** : *beaucoup*, s'emploie devant un nom dénombrable pluriel.

I've read many books on the subject.	*J'ai lu beaucoup de livres sur ce thème.*
Many houses were destroyed by the fire.	*De nombreuses maisons ont été détruites par l'incendie.*
He studied law for many years.	*Il a étudié le droit de nombreuses années.*
He hasn't got many friends.	*Il n'a pas beaucoup d'amis.*
Her children don't have many toys.	*Ses enfants n'ont pas beaucoup de jouets.*
Many people complained.	*Beaucoup se sont plaints.*

▶ ***a lot of*** : *beaucoup* est toujours suivi d'un nom (dénombrable ou indénombrable).
lots of : *beaucoup de* est toujours suivi d'un nom dénombrable pluriel.
a lot : *beaucoup*, n'est pas suivi d'un nom.

There will be a lot of people.	*Il y aura beaucoup de monde.*
She got a lot of postcards.	*Elle a reçu beaucoup de cartes.*

He's visited lots of countries.	*Il a visité de nombreux pays.*
Lots of people are waiting already.	*Il y a déjà beaucoup de gens qui attendent.*
She doesn't earn a lot.	*Elle ne gagne pas beaucoup.*
He eats a lot.	*Il mange beaucoup.*
It's probably a lot more expensive.	*Ça coûte sans doute beaucoup plus cher.*
I used to sleep a lot more.	*Avant, je dormais beaucoup plus.*

◗ ***too*** signifie *trop*. Il peut être utilisé seul, devant un adjectif ou devant l'un des quantifieurs suivants.
too much + nom indénombrable singulier : *trop de* (bruit, pollution).
too many + nom dénombrable pluriel : *trop de* (délinquants, touristes).
too little + nom indénombrable singulier : *trop peu de* (temps, argent).
too few + nom dénombrable pluriel : *trop peu de* (amis, idées).

Don't go too fast!	*Ne va pas trop vite !*
It's too expensive.	*C'est trop cher.*
It was too good to be true.	*C'était trop beau pour être vrai.*
That's too kind of you!	*Comme c'est gentil à vous !*
She speaks too much.	*Elle parle trop.*
There are too many tourists.	*Il y a trop de touristes.*
I've got too little time.	*J'ai trop peu de temps.*
We have too few elements.	*Nous avons trop peu d'éléments.*

- ***so*** signifie *si, tant, tellement.* Il s'emploie presque uniquement devant un adjectif ou avec l'un des quantifieurs suivants.
so much + nom indénombrable singulier : *tant de* (courage, force).
so many + nom dénombrable pluriel : *tant de* (fois, exemples).
so little + nom indénombrable singulier : *si peu de* (neige, espoir).
so few + nom dénombrable pluriel : *si peu de* (vacances, spectateurs).

It's so true!	*Rien n'est plus vrai.*
You're so sweet!	*Tu es un amour !*
I'm so sorry!	*Je suis vraiment désolé.*
I feel so tired!	*Je me sens tellement fatigué !*
We had so much hope!	*Nous avions tant d'espoir !*
It happened so many times.	*Cela est arrivé tellement souvent.*
Why do you speak so little?	*Pourquoi parles-tu si peu ?*
There were so few spectators.	*Il y avait si peu de spectateurs.*

- ***such*** signifie *si, quel, un tel.* Il peut être suivi de l'article ***a, an*** ou non (ex. : ***Such courage!*** *Quel courage !*). ***Such*** sert à montrer du doigt les qualités ou défauts de la personne (ou de la chose) en question.

She's such a nice person!	*Elle est si gentille !*
Don't be such a baby!	*Ne sois pas si puéril !*
It's such a shame!	*Quelle honte !*
We're such good friends!	*Nous sommes si bons amis !*
It's such a pleasure to see you!	*Quel plaisir de vous voir !*

He was in such a bad mood that he went out.	*Il était de si mauvaise humeur qu'il est sorti.*
I'm not sure it's such a good idea.	*Je ne suis pas sûr que ce soit une très bonne idée.*
She's such a fool!	*Quelle idiote!*
He made such a fuss!	*Il a fait toute une histoire.*

◗ ***very*** est un adverbe de quantité, il signifie *très*. Comme ***too, so***, il peut se coupler avec ***much, few, little*** ou se placer devant un adjectif.

Thank you very much.	*Merci beaucoup.*
Very few people came.	*Très peu de gens sont venus.*
I have very little time.	*J'ai très peu de temps*
She was very angry.	*Elle était très en colère.*
He's a very rich man.	*Il est très riche.*
Very funny!	*Très drôle !*
She was very careful.	*Elle a fait très attention.*
"Are you cold?" "Very".	*« - Tu as froid ? - Oui, très. »*
It's not a very good idea.	*Ce n'est pas une très bonne idée.*

◗ ***all*** signifie *tout, tous*. Il est très souvent adverbe et fonctionne alors seul (ex. : ***that's all!***, *c'est tout*). Il est parfois employé comme adjectif placé devant un nom (ex. : ***all day/night***, *toute la journée/ nuit*).

Evening all!	*Bonsoir tout le monde !*
It's all over.	*C'est terminé.*

It's all or nothing.	*C'est tout ou rien.*
"Is it true?" "Not at all."	*« - Est-ce vrai ?* *- Pas du tout. »*
It's all I want.	*C'est tout ce que je veux.*
It happens all the time.	*Ça arrive tout le temps.*
I've lived here all of my life.	*J'ai vécu ici toute ma vie.*
It's all very well but where are we exactly?	*Tout ça, c'est bien joli, mais où sommes-nous exactement ?*
She was all alone.	*Elle était toute seule.*
He's been all over the world.	*Il est allé dans le monde entier.*
Are you all right?	*Est-ce que ça va ?*
It's all right with me.	*Ça me convient.*
That's all I wanted to know.	*C'est tout ce que je voulais savoir.*
She spent all morning in bed.	*Elle a passé la matinée au lit.*

▶ ***each*** et ***every***, *chaque, chacun,* sont toujours suivis du singulier. Ils sont souvent traduits en français par *tous.*

Each of us went to see him.	*Chacun de nous est allé le voir.*
I see her every single day.	*Je la vois chaque jour.*
Don't panic! Each in turn!	*Pas de panique ! Chacun son tour !*
Every time I come here, it rains.	*Chaque fois que je viens ici, il pleut.*
She calls every other day.	*Elle appelle un jour sur deux.*
Every kind of people saw this film.	*Toutes sortes de gens ont vu ce film.*

▸ ***each other*** : *l'un l'autre, les uns les autres*, est une expression de réciprocité. Elle se place après les deux éléments concernés.

They love each other.	*Ils s'aiment.*
They understand each other.	*Ils se comprennent.*
Try to listen to each other.	*Essayez de vous écouter les uns les autres.*
They looked at each other and smiled.	*Ils se sont regardés et ont souri.*
Why do they hate each other?	*Pourquoi se détestent-ils ?*
They didn't even see each other!	*Ils ne se sont même pas vus !*

39. « pourtant », « cependant »

▸ Les adverbes d'opposition *pourtant, cependant*, se traduisent à l'aide des adverbes suivants : ***however, yet, still, though***. Ils sont généralement précédés d'une virgule. Ils se placent tous en tête de proposition à l'exception de ***though***, qui se place en fin de phrase.

She said she would come, however she didn't.	*Elle a dit qu'elle viendrait, cependant elle n'est pas venue.*
It was raining, however we decided to go for a walk.	*Il pleuvait, pourtant nous avons décidé d'aller nous promener.*
He did his best, yet he arrived late.	*Il a fait de son mieux, pourtant, il est arrivé en retard.*
It looks exciting, yet I won't go.	*Ça a l'air intéressant, cependant je n'irai pas.*

And yet she refused to sign the contract.	*Et pourtant, elle a refusé de signer le contrat.*
I had good hopes, still I didn't get the job.	*J'avais bon espoir, cependant je n'ai pas eu le boulot.*
It was risky, still we managed to see him.	*C'était risqué, pourtant nous avons réussi à le voir.*
I'm not sure she agrees with you, though.	*Pourtant, je ne suis pas sûr qu'elle soit d'accord avec toi.*
I'll probably be a little late, though.	*Je serai sans doute un peu en retard, cependant.*
I found it hard to tell him the truth, though.	*Cependant, il m'a été difficile de lui dire la vérité.*

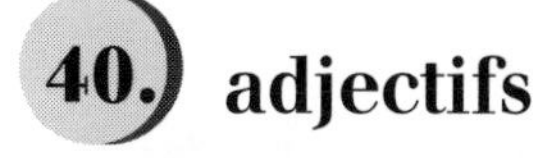

40. adjectifs

- Adjectifs de nationalité. En anglais, ils prennent toujours une majuscule. De même que les noms de nationalité, ex. : ***an American***, ***American music***.

French pastry is renowned.	*La pâtisserie française est réputée.*
He's fond of Italian wine.	*Il aime le vin italien.*
They opened a Lebanese restaurant.	*Ils ont ouvert un restaurant libanais.*
German cars are powerful.	*Les voitures allemandes sont puissantes.*
This is a Turkish recipe.	*C'est une recette turque.*
Spanish food uses a lot of oil.	*La cuisine espagnole est riche en huile.*

Moroccan cities are compelling.	*Les villes marocaines sont fascinantes.*
The British phlegm is famous all over the world.	*Le flegme britannique est célèbre dans le monde entier.*
Irish pubs are warm places.	*Les pubs irlandais sont des endroits accueillants.*
The Scottish Games attract many tourists in summer.	*Les Jeux écossais attirent de nombreux touristes l'été.*
Welsh rugby draws crowds.	*Le rugby gallois attire les foules.*
Dutch cheese is exported a lot.	*Le fromage hollandais se vend beaucoup à l'exportation.*
The Swiss Alps offer the best resorts.	*Les Alpes suisses offrent les meilleures stations.*
Danish cookies are ideal with tea.	*Les biscuits danois accompagnent très bien le thé.*
Belgian beer can be brewed with fruit.	*La bière belge est parfois brassée avec des fruits.*
Russian vodka can be bought anywhere.	*On peut acheter de la vodka russe n'importe où.*
Canadian maple syrup is delicious with pancakes.	*Le sirop d'érable canadien est délicieux avec les crêpes.*
The American economy is on the decline.	*L'économie américaine est en déclin.*
Japanese fish recipes are unique.	*Les recettes de poisson japonaises sont uniques.*
Chinese businessmen are often seen in Europe.	*On voit beaucoup d'hommes d'affaires chinois en Europe.*
The Australian life-style is mostly outdoors.	*La vie à l'australienne se passe surtout au grand air.*

The African continent is huge.	*Le continent africain est immense.*

- Adjectifs substantivés. Ils fonctionnent comme des noms mais ils restent adjectifs, et donc invariables.

This NGO helps the sick at home.	*Cette ONG vient en aide aux malades à domicile.*
The unemployed need subsidies.	*Les chômeurs ont besoin d'aides sociales.*
The young and the old don't always understand.	*Les jeunes et les vieux ne se comprennent pas toujours.*
The homeless are more and more numerous.	*Les sans-abri sont de plus en plus nombreux.*
The handicapped now have access to many jobs.	*Les handicapés ont maintenant accès à de nombreux métiers.*
The newborn need a lot of care.	*Les nouveau-nés ont besoin de beaucoup d'attention.*

41. comparatifs

Les comparatifs sont des adjectifs qui permettent de comparer deux éléments. Ils traduisent la supériorité, l'infériorité ou l'égalité. De nombreuses expressions se passent du second élément de comparaison.

- Adjectifs courts : le comparatif de supériorité se forme par l'ajout de la terminaison ***(i)er*** suivi de ***than***. Le comparatif d'infériorité (plus rare) se forme à l'aide de la structure ***less*** + adjectif + ***than***.

It's easier said than done.	*C'est plus facile à dire qu'à faire.*

He came a few minutes later.	*Il est arrivé quelques minutes plus tard.*
Try harder!	*Essaie encore !*
Speak louder!	*Parle plus fort !*
It could be worse.	*Ça pourrait être pire.*
See you later!	*À plus tard !*
Is it really less far?	*Est-ce vraiment moins loin ?*

▸ Adjectifs longs : le comparatif de supériorité se forme à l'aide de la structure ***more*** + adjectif + ***than***. Le comparatif d'infériorité se forme à l'aide de la structure ***less*** + adjectif + ***than***.

You look more enthusiatic than yesterday.	*Tu as l'air plus enthousiaste qu'hier.*
This job is more interesting.	*Ce travail est plus intéressant.*
You must be more demanding with yourself.	*Tu dois être plus exigeant avec toi-même.*
You sound less tired.	*Tu as l'air moins fatigué.*
The match was less exciting than last time.	*Le match était moins intéressant que la dernière fois.*
Who said she was less intelligent?	*Qui a dit qu'elle était moins intelligente ?*

▸ Le comparatif d'égalité se forme à l'aide de la structure ***as*** + adjectif + ***as***. Ceci est vrai quelle que soit la longueur de l'adjectif.

I'm as tall as you.	*Je suis aussi grand que toi.*
It's not as easy as that.	*Ce n'est pas aussi facile que ça.*

It wasn't as expensive as I thought.	*Ce n'était pas aussi cher que je ne le pensais.*
It's as simple as that!	*C'est aussi simple que ça !*
I'm just as motivated as you are.	*Je suis aussi motivé que toi.*
It's not as cold as yesterday.	*Il ne fait pas aussi froid qu'hier.*

42. superlatifs

Les superlatifs sont des adjectifs qui permettent de comparer un élément à tous les autres. (ex. : *le moins cher, le plus grand...*).

- Adjectifs courts : le superlatif se forme par l'ajout de la terminaison ***(i)est*** à la fin de l'adjectif.

What's the fastest car in the world?	*Quelle est la voiture la plus rapide du monde ?*
He's the nicest man I know.	*C'est l'homme le plus gentil que je connaisse.*
I'll do my best.	*Je ferai de mon mieux.*
Call me tonight at the latest.	*Appelle-moi ce soir au plus tard.*
These are the latest news.	*Ce sont les dernières nouvelles.*
Who's the tallest in the class?	*Qui est le plus grand la classe ?*

- Adjectifs longs : le superlatif se forme par par la structure ***the most*** + adjectif (*le plus*) ou ***the least*** + adjectif (*le moins*).

I've just heard the most amazing story.	*Je viens juste d'entendre la plus surprenante des histoires.*

You have my most sincere sympathy.	*Mes plus sincères condoléances.*
Dog is man's most faithful friend.	*Le chien est le plus fidèle ami de l'homme.*
At least I was on time.	*Au moins, j'étais à l'heure.*
It's the least I can do.	*C'est le moins que je puisse faire.*
I'm not the least surprised.	*Je ne suis pas le moins surpris.*

43. traduire « seul »

- ***only*** peut être adjectif ou adverbe. Il se traduit par *seul, seulement.*
- ***alone*** est un adjectif. Il correspond à *isolé, non accompagné.*
- ***lonely*** est un adjectif. Il correspond à *qui se sent seul.*

He's my only friend.	*C'est mon seul ami.*
It's only $5.	*C'est seulement 5$.*
The only time I saw her, she was with her parents.	*La seule fois que je l'ai vue, elle était avec ses parents.*
The only reason I'm here is to win.	*La seule raison pour laquelle je suis là, c'est pour gagner.*
She's all alone.	*Elle est toute seule.*
I alone, know her well.	*Je suis le seul à bien la connaître.*
Are you sure he was alone?	*Tu es sûr qu'il était seul ?*
He said he would come alone.	*Il a dit qu'il viendrait seul.*

I feel so lonely...	*Je me sens si seul...*
She feels lonely without him.	*Elle se sent seule sans lui.*

44. *this* ou *that* ?

- ***this*** : *ce, ceci, celui-ci, celle-ci.* Il peut être article ou pronom démonstratif. Il correspond à ce qui est proche de moi.

Who's this?	*Qui est-ce ?*
This is ridiculous!	*C'est ridicule !*
This is my house.	*Voici ma maison.*
This computer is not yours.	*Cet ordinateur n'est pas à toi.*
This is John.	*Voici John.*
It's like this...	*Voilà ce qui s'est passé...*
It's OK for this time.	*Ça va pour cette fois-ci.*
In this day and age people travel a lot.	*À l'époque où nous vivons les gens voyagent beaucoup.*
This is it!	*Ça y est !/Voilà !*
I don't like this.	*Ça ne me plaît pas.*
This way, please.	*Par ici, je vous prie.*
Put it this way...	*Pour dire les chose ainsi...*

- ***that*** : *cela, ça, celui-là, celle-là.* Il peut être article ou pronom démonstratif. Il correspond à ce qui est loin de moi.

Who's that?	*Qui est-ce ?*
That'll do.	*Ça ira.*
That is correct.	*Exact.*

That will be Duane coming home.	*Ça doit être Duane qui rentre.*
That was close!	*C'était moins une !*
Look at that man!	*Regarde cet homme, là-bas !*
Why did she do that?	*Pourquoi a-t-elle fait ça ?*
It's not that.	*Il ne s'agit pas de cela.*
He can't have said that!	*Il n'a pas pu dire ça !*
Give me that!	*Donne-moi ça !*
On that day, it was very cold.	*Ce jour-là, il faisait très froid.*
That's why I'm here.	*C'est pourquoi je suis là.*
Why is that?	*Et pourquoi donc ?*
Is that clear?	*Est-ce que c'est clair ?*

▸ ***this*** : *ce, ceci, celui-ci, celle-ci.* Il est utilisé pour un singulier.
these : *ceux-ci, celles-ci.* Il est utilisé pour un pluriel.

Who did this?	*Qui a fait ça ?*
At this point we'd better rest.	*Au point où on en est, on ferait mieux de se reposer.*
This is undreamed of!	*C'est à dormir debout !*
Who are these people?	*Qui sont ces gens ?*
These are my reasons.	*Voici mes raisons.*
These kids are so noisy!	*Que ces gamins sont bruyants !*
He goes out a lot these days.	*Il sort beaucoup ces temps-ci.*

▸ ***that*** : *ça, cela, celui-là, celle-là.* Il est utilisé pour un singulier.
those : *ceux-là, celles-là.* Il est utilisé pour un pluriel.

Who's that girl?	*Qui est cette fille ?*
That was the last thing she said.	*C'est la dernière chose qu'elle a dite.*

Can you see that fellow, near the bridge? That's him!	*Tu vois ce type, près du pont ? C'est lui !*
Those who knew him liked his gentleness.	*Ceux qui le connaissaient appréciaient sa douceur.*
Look at those men over there!	*Regarde ces hommes, là-bas !*
Those were the days!	*C'était le bon temps !*
Life was hard in those days.	*La vie était dure en ce temps-là.*

- ***this*** et ***that*** peuvent également être utilisés comme adverbes. Ils correspondent alors à l'adverbe *si*.

I'm not that sure.	*Je n'en suis pas si sûr.*
It wasn't that far.	*Ce n'était pas si loin.*
It's not that easy!	*Ce n'est pas si facile !*
Come on, it's not that difficult!	*Allez, ce n'est pas si difficile !*
This much is true.	*Ça au moins, on en est sûr.*
We have this much in common.	*On a au moins ça en commun.*
He is this tall.	*Il est grand comme ça.*
It's not that important.	*Ce n'est pas si grave.*

- ***that*** peut être utilisé comme conjonction de subordination (pour mettre deux propositions en relation). Il correspond au français *que*. Il est alors souvent omis (il est sous-entendu).

I think (that) it's true	*Je pense que c'est vrai.*
I don't think (that) it's a real problem.	*Je ne pense pas que ce soit un réel problème.*

She said (that) it was easy.	*Elle a dit que c'était facile.*
I'm sure (that) he can help us.	*Je suis sûr qu'il peut nous aider.*
I knew (that) she was at home.	*Je savais qu'elle était chez elle.*
You do understand (that) it won't be possible, don't you?	*Vous comprenez bien que ce ne sera pas possible, n'est-ce pas ?*

▸ ***that*** peut également être utilisé comme pronom relatif complément (que l'antécédent soit une personne ou un objet, donc pour ***who*** et ***which***). Il est alors souvent omis (il est sous-entendu).

The man (that) I saw was his brother.	*L'homme que j'ai vu était son frère.*
This is the car (that) I bought.	*Voici la voiture que j'ai achetée.*
The goal (that) he scored was splendid.	*Le but qu'il a marqué était splendide.*
The man (that) she married is now a CEO.	*L'homme qu'elle a épousé est maintenant PDG.*
The people (that) we met were really nice.	*Les gens que nous avons rencontrés étaient très gentils.*
The country (that) I like best is Italy.	*Le pays que je préfère est l'Italie.*

45. *that* ou *than* ?

than sert à introduire le second élément après un comparatif.
that sert à introduire une subordonnée (et est souvent omis).

I'm faster than you.	*Je cours plus vite que toi.*
She's taller than me.	*Elle est plus grande que moi.*
It mustn't be more than £10.	*Ça ne doit pas coûter plus de 10 £.*
He said (that) it was easy.	*Il a dit que c'était facile.*
I think (that) it's too late.	*Je pense qu'il est trop tard.*
That's all (that) I need.	*C'est tout ce qu'il me faut.*
She tried so hard that she finally made it.	*Elle s'est tellement donné de mal qu'elle a fini par y arriver.*
It was so hot that we had to eat inside.	*Il faisait si chaud que nous avons dû manger à l'intérieur.*

46. les relatifs *what* et *which*

- ***what*** peut être utilisé comme pronom relatif interrogatif. Il est alors généralement placé en début de phrase et signifie *quoi, qu'est-ce que.*

What do you say?	*Qu'est-ce que tu en dis ?*
What do you want to do?	*Que veux-tu faire ?*
What should I do?	*Que devrais-je faire ?*
What else can I do?	*Que puis-je faire d'autre ?*

What did he say?	*Qu'a-t-il dit ?*
What is it you are loking for?	*Qu'est-ce que tu cherches ?*

▸ ***which*** peut être utilisé comme pronom relatif interrogatif. Il est alors généralement placé en début de phrase et signifie *quel, lequel, laquelle* (choix entre deux éléments).

Which one do you prefer?	*Laquelle préfères-tu ?*
Which is yours?	*Lequel est à toi ?*
Now I don't know which is which.	*Maintenant, je ne sais plus lequel est le bon.*
Which is best?	*Qu'est-ce qu'il vaut mieux faire ?*
Which of them was late?	*Lequel d'entre eux était en retard ?*
Which of you is John's uncle?	*Lequel d'entre vous est l'oncle de John ?*

▸ ***what*** est placé en tête, il annonce.
which reprend ce qui précède.

What I like best is skiing.	*Ce que je préfère, c'est le ski.*
Remember what I told you.	*Rappelle-toi ce que je t'ai dit.*
What she said was true.	*Ce qu'elle a dit était vrai.*
That's what I'm afraid of.	*C'est ce qui me fait peur.*
I don't know what's going on.	*Je ne sais pas ce qui se passe.*
He didn't say a word, which surprised us all.	*Il n'a rien dit, chose qui nous a tous surpris.*

It started raining, which ruined the party. — *Il s'est mis à pleuvoir, ce qui a gâché la soirée.*

She called at 7, which wasn't such a good idea. — *Elle a appelé à 7 h, ce qui n'était pas vraiment une bonne idée.*

47. questions en *wh-*

De nombreuses questions sont introduites par des mots interrogatifs commençant par « ***wh*** ». On les appelle en anglais ***wh-questions***. Ces mots interrogatifs sont des pronoms relatifs. Voici la liste des pronoms relatifs et leurs traductions. ***who*** *: qui,* ***what*** *: quoi, qu'est-ce que,* ***whose*** *: à qui,* ***when*** *: quand,* ***where*** *: où,* ***why*** *: pourquoi,* ***which*** *: lequel, laquelle, lesquels, lesquelles.*

- ***who*** *: qui,* interroge sur le sujet quand il s'agit d'une personne.

Who's this? — *Qui est-ce ?*

Who's that guy? — *Qui c'est, ce type ?*

Who told you? — *Qui t'en a parlé ?*

Who do you think I am, huh? — *Vous me prenez pour qui, hein ?*

Who's to blame? — *À qui la faute ?*

Who could have imagined that? — *Qui aurait pu imaginer ça ?*

- ***what*** introduit une demande de renseignement et correspond généralement au français *qui, que, quoi, qu'est-ce que...*

What's wrong? — *Qu'est-ce qui ne va pas ?*

What's the problem? — *Quel est le problème ?*

What happened?	*Que s'est-il passé ?*
What do you mean?	*Que voulez-vous dire?*
What do you say?	*Qu'en dis-tu ?*
What else?	*Quoi d'autre?*
What's the point?	*À quoi bon ?*
What's the weather like?	*Quel temps fait-il ?*
What's your name, again?	*Tu t'appelles comment, déjà ?*
What do you do for a living?	*Que faites-vous dans la vie ?*
What is he called?	*Comment s'appelle-t-il ?*
What's the matter?	*Que se passe-t-il ?*
What's going on here?	*Qu'est-ce qui se passe, ici ?*
What is he like?	*Comment est-il ?*
What was it like?	*C'était comment ?*
What can I do for you?	*Que puis-je pour vous ?*
What's for dinner?	*Qu'y a-t-il pour le dîner ?*
What if he refuses?	*Et s'il refuse ?*
What if it doesn't work?	*Et si ça ne marche pas ?*
What about us?	*Et nous alors ?*
What's the difference?	*Qu'est-ce que ça change ?*
What was I going to say?	*Qu'est-ce que j'allais dire ?*

◗ Le pronom relatif ***whose***, *à qui, de qui,* interroge sur le possesseur.

Whose car is it?	*À qui est cette voiture ?*
Whose turn is it?	*À qui le tour ?*

Whose house did you visit?	*De qui avez-vous visité la maison ?*
Whose house is that, over there?	*À qui est cette maison, là-bas ?*
Whose side are you on?	*De quel côté es-tu ?*
Whose shoes are those?	*À qui sont ces chaussures ?*

▶ Le pronom relatif ***when***, *quand*, interroge sur le temps, le moment.

When did it happen?	*Quand est-ce arrivé ?*
When did you meet?	*Quand vous êtes-vous rencontrés ?*
When was he born?	*Quand est-il né ?*
When will she arrive?	*Quand arrivera-t-elle ?*
When is she supposed to call?	*Quand est-elle censée appeler ?*
When did she tell you?	*Quand t'en a-t-elle parlé ?*

▶ Le pronom relatif ***where***, *où*, interroge sur le lieu.

Where's the station, please?	*Où est la gare, s'il vous plaît ?*
Where do you live?	*Où habitez-vous ?*
Where are you from?	*D'où venez-vous ?*
Where were you?	*Où étais-tu ?*
Where did he go?	*Où est-il allé ?*
Where are we to meet him?	*Où devons-nous le retrouver ?*

◗ Le pronom relatif ***why***, *pourquoi*, interroge sur la cause.

Why worry?	*Pourquoi s'en faire ?*
Why not?	*Pourquoi pas ?*
Why not tell the truth?	*Pourquoi ne pas dire la vérité ?*
Why did you say that?	*Pourquoi as-tu dit ça ?*
Why did they leave so early?	*Pourquoi sont-ils partis si tôt ?*
Why so much hatred?	*Pourquoi tant de haine ?*

◗ Certaines questions se construisent avec 2 mots interrogatifs. Le premier (principalement ***what*** ou ***who***) introduit la question, le second est renvoyé à la fin.

What is it about?	*De quoi ça parle ?*
What is it for?	*À quoi ça sert ?*
Who is it for?	*C'est pour qui ?*
What did you do that for?	*Pour quelle raison as-tu fait ça ?*
Where did you go to?	*Où es-tu allé ?*
Where is he at? (US slang)	*Où qu'il est ? (argot US)*
Who did you go with?	*Avec qui es-tu parti ?*
Who did he speak to?	*À qui a-t-il parlé ?*
Who did you give it to?	*À qui l'as-tu donné ?*
Who does he play for?	*Il joue pour quelle équipe ?*

48. les questions en *how*

◗ ***how*** signifie *comment*, sauf exception.

How are you (doing)?	*(Comment) Ça va ?*
How are things?	*Comment ça va ?*

How do you do?	*Enchanté.*
How did you go there?	*Comment es-tu allé là-bas ?*
How did you do that?	*Comment as-tu fait ça ?*
How could he miss the turn?	*Comment a-t-il pu rater le virage ?*
How can I help you?	*En quoi puis-je vous aider ?*

- ***how much*** : *combien* (indénombrable, ex. : pour un prix).

How much (is it)?	*C'est combien ?*
How much do you charge?	*Vous prenez combien ?*
How much, for this car?	*Combien, pour cette voiture ?*
How much did you pay?	*Combien as-tu payé ?*
How much time have we got?	*Combien de temps avons-nous ?*
How much snow did you get?	*Combien de neige avez-vous eu ?*

- ***how many*** : *combien* (dénombrable, pour une quantité avec un nom pluriel).

How many brothers have you got?	*Combien de frères as-tu ?*
How many apples have we got?	*Combien de pommes avons-nous ?*
How many people came to see you?	*Combien de personnes sont venues te voir ?*
How many times did you go?	*Combien de fois y es-tu allé ?*

How many times must I tell you?	*Combien de fois dois-je te le dire ?*
How many people witnessed the scene?	*Combien de gens ont été témoins de la scène ?*

▶ ***how*** peut aussi être utilisé devant un adjectif ou un adverbe.

How old are you?	*Quel âge as-tu ?*
How old is this house?	*Quel âge a cette maison ?*
How far is it?	*C'est loin ?*
How far do they live?	*À quelle distance habitent-ils ?*
How long does it take?	*Ça prend combien de temps ?*
How long did you wait?	*Combien de temps as-tu attendu ?*
How often d'you come here?	*Vous venez souvent ici ?*

▶ ***how come?*** signifie *comment se fait-il que ?*

How come you are late?	*Comment se fait-il que vous soyez en retard ?*
How come it's already closed?	*Comment se fait-il que ce soit déjà fermé ?*
How come it's not finished yet?	*Comment se fait-il que ce ne soit pas encore terminé ?*
How come you didn't say anything?	*Comment se fait-il que tu n'aies rien dit ?*
How come nobody saw her fall?	*Comment se fait-il que personne ne l'ait vu tomber ?*
How come you lost this match?	*Comment se fait-il que vous ayez perdu ce match ?*

49. les questions ouvertes

Ce sont les questions auxquelles on ne peut répondre que par oui ou par non. Leur schéma est toujours le même : auxiliaire + sujet + verbe.

Do you like it here?	*Vous vous plaisez ici ?*
Did you have a nice trip?	*Vous avez fait bon voyage ?*
Will you marry me?	*Veux-tu m'épouser ?*
Can I get you anything?	*Puis-je vous apporter quelque chose ?*
Could you repeat, please?	*Pouvez-vous répéter, SVP ?*
Shall we go?	*On y va ?*
May I help you?	*Puis-je vous aider ?*
May I ask you a question?	*Puis-je vous poser une question ?*
Are you being served?	*On vous sert ?*
Are you staying for dinner?	*Vous restez dîner ?*
Are you okay?	*Est-ce que ça va ?*
Did you get hurt?	*Tu t'es fait mal ?*
Has anyone called?	*Est-ce que quelqu'un a téléphoné ?*
Have you ever talked to him?	*Est-ce que tu lui as déjà parlé ?*
Have you two met already?	*Vous avez déjà fait connaissance ?*

50. exclamations

- On emploie les adverbes ***how/so***, *tant, tellement, si,* pour introduire la phrase. Ils sont utilisés devant un adjectif.

How nice!	*Comme c'est gentil !*
How funny!	*Comme c'est drôle !*
How terrible!	*C'est vraiment horrible.*
It's so true!	*Il n'y a rien de plus vrai !*
She's so pretty!	*Comme elle est belle !*
I was so scared!	*J'ai eu si peur !*

- Le pronom exclamatif ***what*** et l'adverbe quantifieur ***such***, *quel(le),* sont utilisés devant un nom et placés en début de phrase.

What a disgrace!	*Quelle honte !*
What an idiot!	*Quel imbécile !*
What a ridiculous idea!	*Quelle idée ridicule !*
It's such a wonderful day!	*Quelle journée splendide !*
He's such a generous man!	*C'est un homme tellement généreux !*
She's such a nice person!	*Elle est si gentille !*

51. suggestions

- ***why not*** : *pourquoi ne pas, si on...*
why don't (you, we) : cette expression ne fonctionne pratiquement qu'avec les pronoms ***you*** et ***we***.

Why not have a look?	*On jette un coup d'œil ?*
Why not have a break now?	*Faisons une pause maintenant !*
Why not tell the truth?	*Pourquoi ne pas dire la vérité ?*
Why don't we go swimming?	*On va à la piscine ?*
Why don't we try?	*Si on essayait ?*
Why don't you take a few days to think about it?	*Tu pourrais prendre quelques jours pour y réfléchir.*

▸ ***let's***... + base verbale. Cette formulation peut être traduite par *si on...* ou par l'impératif (1re personne du pluriel). La formule elliptique (sans verbe) peut aussi être utilisée.

Let's go!	*Allons-y !*
Let's have a break!	*On fait une pause ?*
Let's wait and see...	*Attendons...*
Let's not tell anyone, okay?	*On ne le dit à personne, d'accord ?*
Let's start all over again!	*Recommençons depuis le début !*
Let's not panic!	*Pas de panique !*

▸ ***how about*** introduit une suggestion sous forme de question.

How about some pizza?	*Si on mangeait une pizza ?*
How about a drink?	*On boit un coup ?*
How about some wine with the cheese?	*Du vin, avec le fromage ?*
How about an ice-cream for dessert?	*Que diriez-vous d'une glace en dessert ?*

How about going skiing this winter?	*Si on allait faire du ski, cet hiver ?*
How about going for a walk?	*Si on allait se promener ?*
How about a week-end in Venice?	*Que dirais-tu d'un week-end à Venise ?*

◗ De courtes phrases sans verbe peuvent aussi être utilisées pour faire des suggestions, des propositions, surtout pendant les repas.

Tea? Coffee?	*Thé ? Café ?*
More wine?	*Plus de vin ?*
Some more?	*Vous en voulez encore ?*
Sugar? Milk?	*Du sucre ? Du lait ?*
Salt? Pepper?	*Sel ? Poivre ?*
Some bread?	*Du pain ?*

52. hypothèses

Les phrases hypothétiques *(si...)* sont introduites par ***if***.

Let's go, if it's OK with you.	*Allons-y, si tu es d'accord.*
I'll drive, if you don't mind.	*Je vais conduire, si ça ne te dérange pas.*
He made a fuss if you know what I mean.	*Il a fait toute une histoire, si tu vois ce que je veux dire.*
If I had the answer, I would tell you.	*Si j'avais la réponse, je te la donnerais.*
If I had known!	*Si j'avais su !*
If only I could help you!	*Si seulement je pouvais t'aider !*

If I were you, I wouldn't say that.	*Si j'étais toi, je ne dirais pas ça.*
You can go if you like.	*Tu peux y aller si tu veux.*
You were there too, if I'm not mistaken...	*Tu y étais aussi, si je ne me trompe pas...*

53. interro-négatives

Il s'agit de questions bâties sur des négations.

Isn't it true?	*N'est-ce pas vrai ?*
Isn't she lovely?	*N'est-ce pas qu'elle est belle ?*
Wasn't it great?	*C'était super, hein ?*
Don't you think we should go?	*Tu ne crois pas qu'on devrait y aller ?*
Didn't you know?	*Tu ne savais pas ?*
Can't you be quiet?	*Tu ne peux pas te taire ?*
Shouldn't we try ?	*Ne devrait-on pas essayer ?*
Won't you stop?	*Tu vas arrêter, à la fin ?*
Couldn't we call her?	*On ne pourrait pas l'appeler ?*
Couldn't you have told me?	*Tu n'aurais pas pu m'en parler ?*
Wouldn't it be great?	*Ce serait génial, hein ?*

54. résultatives

Ce sont des propostions qui expriment un résultat, une conséquence. Celle-ci est introduite par la conjonction de subordination ***so…that*** : *si/tellement/tant … que.*

He was so tired that he fell asleep instantly.	*Il était si fatigué qu'il s'est endormi instantanément.*
She was so upset that she started crying.	*Elle était tellement choquée qu'elle s'est mise à pleurer.*
It was so hot that he fainted.	*Il faisait si chaud qu'il s'est évanoui.*
She was so angry with him that she left him.	*Elle était tellement en colère après lui qu'elle l'a quitté.*
I was so sad that I couldn't talk to anybody.	*J'étais si triste que je ne pouvais parler à personne.*
She's so pretty that men turn round to see her.	*Elle est si jolie que les hommes se retournent pour la voir.*
It was so far away that we had to take a taxi.	*C'était si loin que nous avons dû prendre un taxi.*
He was so scared that he couldn't make a move.	*Il a eu si peur qu'il ne pouvait plus bouger.*
It was so foggy that we couldn't see a thing.	*Il y avait tant de brouillard que l'on n'y voyait rien.*

55. le discours indirect

Le discours indirect consiste à rapporter les paroles de quelqu'un. Il existe plusieurs verbes pour introduire ces paroles, seuls les plus courants sont ici mentionnés.

◗ ***say***, *dire*, doit être suivi de la préposition ***to*** devant un pronom personnel (ex. : ***He said to me she was ill***. *Il m'a dit qu'elle était malade*).

What did you say to her exactly?	*Qu'est-ce que tu lui as dit exactement ?*
She says she's OK.	*Elle dit qu'elle va bien.*
I didn't say I agreed.	*Je n'ai pas dit que j'étais d'accord.*
He said he would — and he did.	*Il a dit qu'il le ferait, et il l'a fait.*
He said he wouldn't change his mind.	*Il a dit qu'il ne changerait pas d'avis.*
She said she'd never seen him before.	*Elle a dit qu'elle ne l'avait jamais vu avant.*

◗ ***tell***, *dire, raconter,* peut être suivi d'un pronom personnel (ex. : ***me, her, them***) d'un nom propre, ou d'une autre proposition.

Did you tell him?	*Tu lui as dit ?*
I will tell you what to do.	*Je te dirai quoi faire.*
Don't tell me you forgot!	*Ne me dis pas que tu as oublié !*
He was told to shut up.	*On lui a dit de se taire.*
I told her it was wrong.	*Je lui ai dit que c'était faux.*
They told us it was useless.	*Ils nous ont dit que cela était inutile.*

56. chassé croisé

Il s'agit de phrases dans lesquelles l'ordre des mots est inversé par rapport au français. Toute traduction mot à mot serait donc impossible.

He drives to the office.	*Il va au bureau en voiture.*
I never walk to school.	*Je ne vais jamais à l'école à pied.*
He ran to the stadium.	*Il est allé au stade en courant.*
She swam across the Channel.	*Elle a traversé la Manche à la nage.*
They flew to NY.	*Ils sont allés à NY en avion.*
They waved goodbye.	*Ils ont fait au revoir.*
He kissed the children goodnight.	*D'un baiser il a souhaité bonne nuit aux enfants.*
He read himself blind.	*Il s'est rendu aveugle à force de lire.*
She shouted herself hoarse.	*Elle s'est enrouée à force de crier.*
She cried herself to sleep.	*Elle s'est endormie à force de pleurer.*
I nearly choked to death.	*J'ai failli m'étouffer en mangeant.*

57. double accroissement

Il s'agit de la structure, *plus..., plus... moins..., moins....*
Elle se construit sur la base du comparatif.
Exceptionnellement, celui-ci est précédé de l'article ***the***.

Life's more and more expensive.	*La vie est de plus en plus chère.*
He's more and more tired.	*Il est de plus en plus fatigué.*
I feel better and better.	*Je me sens de mieux en mieux.*
They see each other less and less.	*Ils se voient de moins en moins.*
She works more and more.	*Elle travaille de plus en plus.*
It's warmer and warmer.	*Il fait de plus en plus chaud.*
The more, the merrier.	*Plus on est de fous, plus on rit.*
The sooner, the better.	*Le plus tôt sera le mieux.*
The older I get, the better I feel.	*Plus je vieillis, mieux je me sens.*
The more I think of it, the more scared I feel.	*Plus j'y pense, plus cela me fait peur.*

58. traduction de « dès que »

Les affirmations ou négations introduites par ***when***, *quand*, ***as soon as***, *dès que*, sont construites au présent (ou *present perfect*) et non avec ***will/would***. Si l'énoncé est une question, la règle ne s'applique pas.

When I'm 20, I'll travel around the world.	*Quand j'aurai 20 ans, je ferai le tour du monde.*

When I'm old enough, I'll drive daddy's tractor.	*Quand je serai assez grand, je conduirai le tracteur de papa.*
We'll be relieved when this is all over	*Nous serons soulagés quand tout cela sera terminé.*
Let me know when you are ready.	*Dis-moi quand tu seras prêt.*
I'll send you an email as soon as I know.	*Je t'enverrai un courriel dès que je le saurai.*
As soon as I can get out of here, I will.	*Dès que je pourrai sortir d'ici, je le ferai.*
It's OK as long as it doesn't rain.	*Ça ira tant qu'il ne pleuvra pas.*
I'll give you a call as soon as the baby's born.	*Je te passe un coup de fil dès que le bébé sera né.*
When will you be back?	*Quand seras-tu de retour ?*
When will I see you again?	*Quand te reverrai-je ?*

59. composés de *ever*

- ***whatever*** : *quoi que ce soit, n'importe quoi.*
  whoever : *qui que ce soi, n'importe qui.*

Whatever you do, let me know.	*Quoi que vous fassiez, dites-le moi.*
Whatever happens, don't panic!	*Pas de panique, quoi qu'il arrive.*
I'll pay, whatever the cost.	*Je paierai, quel qu'en soit le prix.*
Whatever he says, listen to him.	*Écoute-le, quoi qu'il dise.*

You'd better be careful, whoever you are.	*Qui que vous soyez, faites bien attention.*
You can ask whoever you like.	*Vous pouvez demander à n'importe qui.*

- ***whenever*** : *dès que, n'importe quand.*
  wherever : *où que ce soit, n'importe où..*

Whenever I see her, she smiles at me.	*À chaque fois que je la vois, elle me sourit.*
Tell me whenever you are ready.	*Préviens-moi dès que tu seras prêt.*
Whenever you need to talk to me, don't hesitate!	*Si vous avez besoin de me parler à quelque moment que ce soit, n'hésitez pas !*
Wherever you go, I'll think of you.	*Où que tu ailles, je penserai à toi.*
Wherever I may go, I will always love you.	*Où que j'aille, je t'aimerai toujours.*
Wherever you go, you'll need to speak English.	*Partout où tu iras il te faudra parler anglais.*

- ***however***, *pourtant, cependant* est souvent placé en début de proposition. Il sert à marquer l'opposition.
  however, devant un adjectif se traduit par une expression de restriction comme *il a beau..., même si...*

However, it wasn't so interesting.	*Cependant, ce n'était pas aussi intéressant.*
It was hard, however we understood everything.	*C'était dur et pourtant nous avons tout compris.*

However intelligent she is, she still makes mistakes.	*Elle a beau être intelligente, elle fait quand même des erreurs.*
However difficult it is, we mustn't give up.	*Si dur que cela puisse être, nous ne devons pas abandonner.*
However rich he is, he does not impress me.	*Il a beau être riche, il ne m'impressionne pas.*
However tired he was, he still went on walking.	*Il avait beau être fatigué, il continuait toujours à marcher.*

60. prépositions

- ***about*** : *au sujet de ; environ, à peu près.*
  about to : *sur le point de.*

What is it about?	*Ça parle de quoi ?*
What are you talking about?	*De quoi parlez-vous ?*
Tell me about it.	*Parle-moi de ça.*
It was about 10.	*Il était environ 10 h.*
She came about an hour ago.	*Elle est venue il y a environ une heure.*
She's about 15.	*Elle a environ 15 ans.*
It's about time!	*Ce n'est pas trop tôt !*
What about me?	*Et moi, alors ?*
He was about to make a great discovery.	*Il était sur le point de faire une importante découverte.*
We were about to leave.	*Nous étions sur le point de partir.*

◗ ***as*** possède une multitude de sens et d'usages.

As for me, I have said all I had to say.	*Quant à moi, j'ai dit tout ce que j'avais à dire.*
As far as I'm concerned, it's no big deal.	*En ce qui me concerne, ce n'est pas un drame.*
As I said before, I don't agree at all.	*Comme je l'ai déjà dit, je ne suis pas du tout d'accord.*
As far as I know he's still at home.	*Pour autant que je sache, il est toujours chez lui.*
Do as you like.	*Fais comme tu veux.*
As if I could know!	*Comme si je pouvais le savoir !*
As if I hadn't told her!	*Comme si je ne le lui avais pas dit !*
Do as I say, don't do as I do.	*Faites ce que je dis, pas ce que je fais.*
As you can see, I feel better.	*Comme tu le vois, je me sens mieux.*
The phone rang as I was leaving	*Le téléphone a sonné au moment où je partais.*
As I was late, he called me into his office.	*Comme j'étais en retard, il m'a appelé dans son bureau.*
As it was raining, I took my umbrella.	*Comme il pleuvait, j'ai pris mon parapluie.*
I came here as an observer.	*Je suis venu ici en tant qu'observateur.*
It's just as well.	*C'est aussi bien comme ça.*
Call me a.s.a.p. (as soon as possible).	*Appelle-moi dès que possible.*

I'll tell you as soon as I get there.	*Je te le dirai dès que je serai sur place.*
As long as you don't mind.	*Tant que ça ne te dérange pas.*

▶ ***at*** introduit un complément de lieu, de temps et un grand nombre d'expressions usuelles.

She's at home/school.	*Elle est à la maison/à l'école.*
He must be at the office.	*Il doit être au bureau.*
They came at the last minute.	*Ils sont venus au dernier moment.*
I wasn't married at the time.	*À l'époque, je n'étais pas mariée.*
I arrived at the same time as her.	*Je suis arrivé en même temps qu'elle.*
He drives me crazy at times.	*Parfois il me rend fou.*
It often rains at this time of the year.	*Il pleut souvent à cette époque de l'année.*
At this point I'd like to give a few more details.	*Au point où nous en sommes j'aimerais donner quelques détails supplémentaires.*
I decided to go there at once.	*J'ai décidé d'y aller aussitôt.*
At least nobody's hurt!	*Au moins personne n'est blessé !*
Here she is at last!	*La voilà enfin !*
I'm not sure at all.	*Je n'en suis pas sûr du tout.*
Come at 5 sharp.	*Viens à cinq heures précises.*
It was love at first sight.	*Ce fut le coup de foudre.*

by introduit le complément d'agent *par*.
Dans un complément de lieu, cette préposition signifie *près de*.
On l'utilise pour un moyen de transport (*en train, en avion*).
Dans une phrase au futur **by** se traduit souvent par d'*ici à*...

I will come by car/bus.	*Je viendrai en voiture/en bus.*
It's easier by day.	*C'est plus facile de jour.*
They took us by surprise.	*Ils nous ont pris par surprise.*
I saw her by chance.	*Je l'ai vue par hasard.*
The car was by the roadside.	*La voiture était au bord de la route.*
I like sitting by the fire.	*J'aime bien m'asseoir près du feu.*
We saw a film by Mel Gibson.	*Nous avons vu un film de Mel Gibson.*
It's a novel by Dickens.	*C'est un roman de Dickens.*
I was by myself.	*J'étais tout seul.*
Stand by me.	*Reste près de moi.*
By the year 2050, the population will have doubled.	*D'ici à l'an 2050, la population aura doublé.*
We'll be home by next week.	*Nous serons rentrés d'ici la semaine prochaine.*
I learnt it by heart.	*Je l'ai appris par cœur.*
He's the best, by far.	*Il est de loin le meilleur.*

for, *pour* (devant un nom) et nombre d'expressions.

Here's a present for you.	*Voici un cadeau pour toi.*
There wasn't enough food for the whole family.	*Il n'y avait pas assez de nourriture pour toute la famille.*

For the last time: where is she?	*Pour la dernière fois : où est-elle ?*
Stop shouting, for goodness sake!	*Arrête de crier, pour l'amour du ciel !*
I did it for fun.	*Je l'ai fait pour m'amuser.*
Look! Another house for sale.	*Regarde ! Une autre maison à vendre.*
What is it for?	*À quoi ça sert ?*
He said that for no reason.	*Il a dit cela sans raison.*
What's for dinner?	*Qu'y a-t-il pour le dîner ?*
For starters : crab.	*En entrée : du crabe.*
Be nice for a change!	*Sois gentil pour changer.*
Food for thought	*Matière à réflexion*
It's for real!	*C'est pour de vrai !*
That's for sure!	*Ça, c'est sûr !*

▶ ***for*** se traduit par *pendant avec* un verbe au prétérite. Mais il se traduit par *depuis* devant un verbe au *present perfect.*

I lived in Paris for years.	*J'ai habité à Paris pendant des années.*
For a minute or so I didn't know what to do.	*Pendant une minute ou deux, je ne savais pas quoi faire.*
She cried for the better part of an hour.	*Elle a pleuré pendant près d'une heure.*
He's been waiting for hours.	*Il attend depuis des heures.*
I've known him for ages.	*Je le connais depuis des lustres.*

I've been here for a while.	*Cela fait un moment que je suis ici.*

◗ ***in*** introduit un complément de temps ou de lieu.
Il est aussi présent dans des expressions usuelles toutes faites.

He's in bed.	*Il est au lit.*
The film is in 20 minutes.	*Le film est dans 20 minutes.*
They should get there in a few days or so.	*Ils devraient y arriver dans quelques jours.*
In ten years' time it will all be forgotten.	*Dans dix ans, tout cela sera oublié.*
I woke up in the middle of the night.	*Je me suis réveillé au beau milieu de la nuit.*
I live in the middle of nowhere.	*J'habite en pleine brousse.*
We rarely get snow in winter.	*Nous avons rarement de la neige en hiver.*
There was a shot in the small hours of the day.	*Au petit matin, il y a eu un coup de feu.*
What do you do in the evening?	*Que fais-tu le soir ?*
It all happened in the twinkling of an eye.	*Tout cela s'est passé en un clin d'œil.*
He spoke in a low voice.	*Il parla à voix basse.*
He's in a good mood.	*Il est de bonne humeur.*
She's in a hurry.	*Elle est pressée.*
They are in trouble.	*Ils ont des ennuis.*
Take this in case it rains.	*Emporte ça, au cas où il pleuvrait.*

She's in love.	*Elle est amoureuse.*
In my opinion, it's useless.	*À mon avis, ça ne sert à rien.*

▶ ***of*** fonctionne comme une charnière entre deux noms ou pronoms.

Of course!	*Bien sûr !*
First of all, I'd like to apologise.	*En premier lieu, j'aimerais m'excuser.*
A few of us witnessed the scene.	*Quelques-uns d'entre nous avons été témoins de la scène.*
One of them is the murderer.	*L'un d'eux est le meurtrier.*
None of them saw anything.	*Aucun d'entre eux n'a vu quoi que ce soit.*
He's a friend of mine.	*C'est un de mes amis.*
Of all things, that he should win!	*Ce serait un comble, s'il gagnait !*
As a matter of fact, it was true.	*En fait, c'était vrai.*

▶ ***over*** est une préposition à sens multiple, en fonction du contexte.

It's over.	*C'est terminé.*
Come over here.	*Venez par ici.*
He's over there!	*Il est là-bas.*
Game over.	*Fin de partie.*
All over the world	*Dans le monde entier*
They arrived overnight.	*Ils sont arrivés du jour au lendemain.*
Over my dead body!	*Il faudra d'abord me tuer !*
Over and out.	*Message terminé.*

under, *sous*, est une préposition de lieu.

It's under the chair.	*Il est sous la chaise.*
He's under pressure.	*Il a la pression.*
We slept under the stars.	*Nous avons dormi à la belle étoile.*
She's under medical treatment.	*Elle est sous traitement médical.*
He is under sentence of death	*Il est condamné à mort.*
She's under age.	*Elle est mineure.*

up to : ces deux prépositions peuvent être utilisées ensemble dans plusieurs expressions usuelles. Leur traduction varie selon le contexte.

It's up to you.	*À toi de voir./C'est toi qui vois.*
It's up to you to decide.	*À toi de te décider.*
If it were up to me...	*Si ça ne dépendait que de moi...*
I'm not up to it.	*Ça ne me dit rien.*
Up to now...	*Jusqu'à maintenant...*
What are you up to?	*Qu'est-ce que tu fabriques ?*
He's not up to the job.	*Il n'est pas à la hauteur.*

with, *avec* ; **without**, *sans* ; **within**, *en l'espace de.*

Come with me!	*Viens avec moi !*
Come and play with us!	*Viens jouer avec nous !*
With a bit of luck, we won't be late.	*Avec un peu de chance, nous ne serons pas en retard.*
They acted with my agreement.	*Ils ont agi avec mon accord.*

It was no easy task, with no one to help me	*Ce n'était pas facile, sans personne pour m'aider.*
She felt all alone, with no one to talk to.	*Elle se sentait toute seule, sans personne à qui parler.*
Who were you with?	*Avec qui étais-tu ?*
He came in without a word.	*Il est entré sans rien dire.*
She spoke without looking back.	*Elle a parlé sans se retourner.*
He jumped without hesitating.	*Il a sauté sans hésiter.*
It was within walking distance.	*On pouvait y aller à pied.*
Within an hour they had found us.	*En moins d'une heure ils nous avaient retrouvés.*
The house was within reach.	*On pouvait accéder à la maison.*
I'll do it, with or without you.	*Je le ferai avec ou sans toi.*

61. la conjonction *so*

▸ ***so*** introduit une conséquence : *donc, alors.* C'est une conjonction de coordination.

It was early, so I waited.	*J'étais en avance, alors j'ai attendu.*
So I said to him: let's go!	*Alors je lui ai dit : allons-y !*
She was on her own, so I decided to talk to her.	*Elle était seule, alors j'ai décidé de lui parler.*

I didn't know what to say, so I kep quiet.	*Je ne savais pas quoi dire, alors je me suis tu.*
It was tired so I went to sleep.	*J'étais fatigué, alors je me suis couché.*
It was boring, so I left.	*C'était ennuyeux, alors je suis parti.*

▸ *so* évite de répéter un élément déjà mentionné.

I don't think so.	*Je ne pense pas.*
Do you think so?	*Tu crois ?*
Didn't I say so?	*Je l'avais bien dit !*
I hope so.	*J'espère que oui.*
I'm afraid so.	*J'en ai bien peur.*
I suppose/guess so.	*Je le suppose.*

▸ *so* introduit une phrase courte pour dire *moi aussi*.
On reprend alors l'auxiliaire de la phrase de départ.

"I'm hungry". "So am I".	*« - J'ai faim. - Moi aussi. »*
"He was late". "So was I".	*« - Il était en retard. - Moi aussi. »*
"I want to go". "So do I".	*« - Je veux y aller. - Moi aussi. »*
"I saw her". "So did I".	*« - Je l'ai vue. - Moi aussi. »*
"I can cook!". "So can he".	*« - Je sais faire la cuisine. - Lui aussi. »*
"I'd like to have a rest". "So would I".	*« - J'aimerais me reposer. - Moi aussi. »*

▸ ***so*** se retrouve dans plusieurs expressions toutes faites.

And so on...	*Et ainsi de suite...*
So what?	*Et alors ?*
So far, so good.	*Jusqu'à présent, tout va bien.*
He's about 17 or so.	*Il a environ 17 ans.*
So much for the dinner...	*Tant pis pour le dîner...*
So long!	*À bientôt !*

62. le verbe ***know***

Le verbe ***know*** se traduit par *savoir* ou *connaître,* selon le contexte.

I don't know.	*Je ne sais pas.*
You know what?	*Tu sais quoi ?*
We didn't know what to do.	*Nous ne savions pas quoi faire.*
Do you know how to swim?	*Tu sais nager ?*
Do you know her?	*Tu la connais ?*
He knows everyone in town.	*Il connaît tout le monde en ville.*
She says she knows him well.	*Elle dit qu'elle le connaît bien.*

63. usage de ***it***

▸ ***it*** s'emploie avec le verbe *être* ***(is, 's)*** pour introduire une phrase.

It's true.	*C'est vrai.*
It's not the same.	*Ce n'est pas la même chose.*

It's him, over there!	*C'est lui, là-bas !*
It's mine!	*C'est à moi !*
It's none of your business!	*Ça ne te regarde pas !*
It's not my fault!	*Ce n'est pas ma faute !*

▸ ***it*** s'emploie aussi comme pronom (il remplace un nom).

Did you find it?	*Tu l'as trouvé ?*
Can you see it?	*Tu le vois ?*
He didn't like it.	*Cela ne lui a pas plu.*
I'm sure of it.	*J'en suis sûr.*
Give it to me!	*Donne-le moi !*
She didn't send it.	*Elle ne l'a pas envoyé.*

▸ ***it*** s'emploie après certains verbes surtout à la première personne.

I find it hard to imagine.	*C'est difficile à imaginer.*
I find it unlikely.	*Je trouve cela peu vraisemblable.*
I like it when the wind blows.	*J'aime bien quand le vent souffle.*
I don't like it when I have to rush.	*Je n'aime pas quand je dois me dépêcher.*
Come on! Give it a try!	*Allez ! Essaie un coup !*
I'll see to it that he knows.	*Je veillerai à ce qu'il le sache.*

▸ ***it*** s'emploie dans de nombreuses expressions idiomatiques.

It's not me!	*C'est pas moi !*
Don't do it again!	*Ne recommence pas !*
It's a pity! It's too bad!	*C'est dommage !*

Stop it!	*Arrête !*
It's hard to tell.	*C'est difficile à dire.*
I didn't get it.	*Je n'ai pas compris.*
Got it?	*Pigé ?*

64. *too* et *also*

- Ces deux adverbes se traduisent par *aussi*.
  too est placé après l'élément qu'il qualifie.
  also précède le verbe.

Do you also play the piano?	*Joues-tu aussi du piano ?*
I also visited Sydney.	*J'ai aussi visité Sydney.*
He also sells books and CDs.	*Il vend aussi des livres et des CD.*
Did you watch the film too?	*Toi aussi, tu as regardé le film ?*
Would you like to come too?	*Aimerais-tu venir aussi ?*
I bought one, too. Look!	*J'en ai acheté un aussi. Regarde !*

65. usage de *ago*

- ***ago*** ne s'emploie que dans l'expression *il y a* dans son sens temporel. La phrase est construite au prétérite car le moment est précis dans le passé.

It happened a long time ago.	*Cela s'est passé il y a longtemps.*

She called me not long ago.	*Elle m'a appelé il y a peu de temps.*
I saw them just a week ago.	*Je les ai vus il y a juste une semaine.*
Ten years ago, he was in China.	*Il y a dix ans, il était en Chine.*
It all started a while ago.	*Tout a commencé il y a quelque temps.*
Life appeared on Earth millions of years ago.	*La vie est apparue sur Terre il y a des millions d'années.*

66. *story* et *history*

- ***a story*** : *une histoire, un conte.*
  history : *l'histoire* (à travers les âges).

Tell me a story!	*Raconte-moi une histoire !*
What an incredible story!	*Quelle histoire incroyable !*
It's the story of my life.	*C'est mon histoire.*
Do you like history?	*Tu aimes l'histoire ?*
He studied history.	*Il a étudié l'histoire.*
The history of ancient Rome is fascinating.	*L'histoire de la Rome antique est passionnante.*

67. *hungry* et *angry*

- Attention à ne pas confondre ces deux adjectifs !
  I'm hungry : *j'ai faim.* ***I'm angry*** : *je suis en colère.*

Are you hungry?	*Tu as faim ?*
How hungry are you?	*Est-ce que tu as très faim ?*
I'm so hungry!	*Qu'est-ce que j'ai faim !*
She wasn't hungry at all.	*Elle n'avait pas faim du tout.*
That's ok, I'm not angry.	*Ça va, je ne suis pas en colère.*
He was really angry with me.	*Il était vraiment en colère contre moi.*
Don't get angry!	*Ne te mets pas en colère !*

good et *well*

▸ ***good***, adjectif, signifie *bon, bien.*

Good job!	*Bon travail !*
Good luck!	*Bonne chance !*
It's good to see you!	*Content de te voir !*
It's no good.	*Ça ne sert à rien.*
He's a good for nothing.	*C'est un bon à rien.*
Are you good at tennis?	*Tu es bon au tennis ?*
He speaks good English.	*Il parle bien anglais.*

▸ ***well***, adverbe, se traduit par *bien.*

Well done!	*Bien vu !*
I'm not well.	*Je ne vais pas bien.*
Well, well,...	*Bien, bien...*
It's just as well.	*C'est aussi bien comme ça.*
Very well!	*Très bien !*

He didn't understand very well.	*Il n'a pas très bien compris.*

69. ***small*** et ***little***

▸ Ces deux adjectifs signifient *petit*, mais attention à ne pas les confondre !
small ne s'applique qu'à la taille.
little a en plus une valeur affective.

That's a very small house.	*C'est une toute petite maison.*
It's a small world!	*Le monde est petit !*
We drove through a small town	*Nous avons traversé une petite ville.*
He's a nice little boy.	*C'est un gentil petit garçon.*
What a cute little dog!	*Quel gentil petit chien !*
Poor little thing!	*Pauvre petite !*

70. ***big*** et ***great***

▸ ***big***, *grand, gros,* ne s'applique qu'à la taille.

It's no big deal.	*C'est pas grave.*
You're a big girl now!	*Tu es une grande fille à présent !*
Is your flat big enough?	*Est-ce que ton appartement est assez grand ?*
This is a little too big for me.	*C'est un peu trop gros pour moi.*

He had a big slice of cake.	*Il a mangé une grosse part de gâteau.*
He's a big eater.	*C'est un gros mangeur.*

▸ ***great***, *grand, super,* a une valeur affective ou admirative.

She was a great actress.	*C'était une grande actrice.*
He was the greatest football player of all times	*C'était le plus grand joueur de foot de tous les temps.*
De Gaulle was a great man.	*De Gaulle était un grand homme.*
He's a great player.	*C'est un grand joueur.*
It was really great!	*C'était vraiment super !*
I feel great today.	*Je suis en super forme aujourd'hui.*

71. traduction de « ensuite », « après »

▸ ***then, next*** : *ensuite,* ***after that, afterwards*** : *après*
Attention ! ***After*** doit toujours être suivi d'un complément.

Then it was time to go home.	*Ensuite, c'était l'heure de rentrer.*
And then?	*Et ensuite ?*
Where did you go next?	*Où es-tu allé après ?*
I couldn't sleep after that.	*Après, je n'ai pas pu dormir.*
After that there was a knock at the door.	*Ensuite, on a frappé à la porte.*
Afterwards we can still give him a call.	*Ensuite, on pourra toujours lui passer un coup de fil.*

Afterwards we'll go for a drink.	*Après, on ira boire un coup.*

72. *before* et *after*

- ***before*** : *avant (de)* ***after*** : *après.* Ce sont des prépositions. Elles doivent être suivies d'un complément (ex. : ***After the war***, *Après la guerre*). Si elles précèdent un verbe, celui-ci prend la forme ***-ing***.

Come and see me before you go.	*Viens me voir avant de partir.*
I like to read before going to bed.	*J'aime bien lire avant de me coucher.*
This must be done before the end of the day.	*Cela doit être fait avant la fin de la journée.*
I travelled a lot before I met her.	*J'ai beaucoup voyagé avant de la rencontrer.*
After a few minutes he was asleep.	*Quelques minutes après, il dormait.*
After a while it started snowing.	*Un moment après, il s'est mis à neiger.*

73. *late* et *later*

- ***late*** signifie *tard,* ou *en retard.*
later signifie *plus tard, par la suite, ensuite.*
later fonctionne seul ou suivi de la préposition ***on***.

I didn't know it was so late.	*Je ne savais pas qu'il était si tard.*

We're late again!	*Nous sommes encore en retard !*
Don't come back too late!	*Ne rentre pas trop tard !*
She called a few minutes later.	*Elle a appelé quelques minutes plus tard.*
They were married five years later.	*Ils se sont mariés cinq ans plus tard.*
It happened no later than yesterday.	*Ça s'est passé pas plus tard qu'hier.*
Later on it started raining.	*Ensuite, il s'est mis à pleuvoir.*
Later he said he was sorry.	*Ensuite, il a dit qu'il était désolé.*

74. *true* et *right*

▸ ***true*** : *vrai, exact.* ***right*** : *juste, comme il faut, bien.*
Attention ! *Vrai ou faux* se dit ***true or false*** ou ***right or wrong***.

It's not true!	*Ce n'est pas vrai !*
True to God!	*Je le jure !*
Do you really think it's true?	*Tu crois vraiment que c'est vrai ?*
It's not right.	*Ce n'est pas bien.*
You did the right thing.	*Tu as fait ce qu'il fallait.*
I just don't think it's right.	*Ce n'est pas bien, j'en ai la conviction.*
Yes, you're right.	*Oui, tu as raison.*

75. ***across*** et ***through***

- Ce sont des prépositions de lieu (***across*** n'est pas un verbe !).
  across signifie *à travers* (un endroit plat).
  through signifie *à travers* (propre ou figuré).

She lives across the street.	*Elle habite de l'autre côté de la rue.*
It's just across the road.	*C'est juste de l'autre côté de la route.*
He walked across the field.	*Il a traversé le champ.*
He walked across the desert	*Il a traversé le désert à pied.*
You have to go through the forest.	*Il vous faut aller à travers/passer par la forêt.*
I saw you through the window.	*Je t'ai vu par la fenêtre.*

76. traduire « c'est/j'ai terminé »

- *J'ai terminé :* ***I have/am finished,*** *(US)* ***I'm done, I'm through***.
  C'est terminé : ***It's over***.

Wait a minute, I'm not finished yet!	*Une seconde, je n'ai pas encore terminé.*
Have you finished the book?	*Tu as terminé le livre ?*
Are you done with the phone?	*Tu en as fini avec le téléphone ?*
I wish it was over!	*Vivement que ce soit terminé !*
Thank God we are through!	*Dieu merci, nous avons terminé !*

I'll tell you when we are done.	*Je te préviendrai quand nous aurons terminé.*
I'm through; your turn.	*J'ai terminé ; à ton tour.*

77. traduire « côté »

▸ ***side*** : (nom) *côté* ; ***beside*** : (préposition de lieu) *à côté, près de.*

Look on this side!	*Regarde de ce côté !*
I've got money on the side.	*J'ai de l'argent de côté.*
It's just beside the church.	*C'est juste à côté de l'église.*
They live on the other side of town.	*Ils habitent de l'autre côté de la ville.*
Time is on my side.	*Le temps travaille pour moi.*
Sit by my side.	*Assieds-toi près de moi.*
The dark side of the moon has long been a mystery.	*La face cachée de la lune a été un mystère pendant longtemps.*

78. les conjonctions de subordination

▸ ***so ... that ...*** : *si, tant, tellement... que.* Cette conjonction introduit une relation de cause à effet et exprime la conséquence.

I was so tired that I went straight to bed.	*J'étais si fatigué que je suis allé me coucher directement.*
It was so difficult that nobody found the answer.	*C'était si difficile que personne n'a trouvé la réponse.*
He was so rude with them that they left.	*Il a été si impoli avec eux qu'ils sont partis.*

They were so many people that we waited for ever.	*Il y avait tant de monde que nous avons attendu une éternité.*
He is so in love with her that he can't sleep anymore.	*Il est tellement amoureux d'elle qu'il n'arrive plus à dormir.*
She was so worried that she fell sick.	*Elle était tellement inquiète qu'elle est tombée malade.*

- ***unless*** : *à moins que, sauf si.* ***Unless*** s'emploie surtout avec le présent.

We'll go with you, unless you refuse.	*Nous t'accompagnerons, à moins que tu refuses.*
Don't call me, unless there's a problem.	*N'appelez pas, à moins qu'il y ait un problème.*
Don't move, unless I tell you.	*Ne bouge pas, à moins que je ne te le dise.*
I won't see you, unless I come back early.	*Je ne te verrai pas, sauf si je rentre tôt.*
It should be ok, unless she says no –which is unlikely.	*Ça devrait aller, à moins qu'elle dise non, chose peu probable.*
Do not open, unless otherwise stated.	*Ne pas ouvrir, sauf indication contraire.*

- ***till*** et ***until*** : *jusqu'à ce que, avant que.* Ces deux conjonctions s'emploient le plus souvent avec le présent.

Don't go anywhere until I come back.	*Ne bougez pas d'ici avant mon retour.*
I'll be there until next Saturday.	*J'y serai jusqu'à samedi prochain.*

I can't tell you until I'm sure.	*Je ne peux pas t'en parler avant d'en être sûr.*
Don't move until it's over.	*Ne bouge pas tant que ce n'est pas terminé.*
I'd never met him until last year.	*Jusqu'à l'année dernière, je ne l'avais jamais rencontré.*
He'll stay in hospital until he has recovered.	*Il restera à l'hôpital jusqu'à ce qu'il se remette.*
Till death do us part.	*Jusqu'à ce que la mort nous sépare.*

◗ ***(It was) not until*** : *ce n'est que* (généralement placé en début de phrase).

It was not until I met her that I realised who she was.	*Ce n'est que le jour où je l'ai rencontrée que j'ai compris qui elle était.*
Not until he spoke did we understand his real motives.	*Ce n'est que lorsqu'il a parlé que nous avons compris ses intentions réelles.*
It was not until it was over that she started to cry.	*Ce n'est qu'une fois l'affaire terminée qu'elle s'est mise à pleurer.*
It was not until he could vote that he became involved in politics.	*Ce n'est que le jour où il a pu voter qu'il s'est intéressé à la politique.*

79. usage de ***pretty***

pretty est généralement employé comme adjectif et, sauf exception, ne s'applique qu'à une femme ou une fille. Il signifie *alors jolie, mignonne.*
pretty peut aussi être employé comme adverbe, il signifie *assez, plutôt.*

She's a pretty woman.	*C'est une jolie femme.*
She's so pretty!	*Elle est si jolie !*
It wasn't a pretty sight.	*Ce n'était pas joli à voir.*
You're very pretty in that dress.	*Tu es très mignonne avec cette robe.*
We waited a pretty long time.	*Nous avons attendu pas mal de temps.*
It's pretty easy to guess.	*C'est assez facile à deviner.*
It's pretty far.	*C'est assez loin.*

80. usage de ***now***

now *: maintenant, à présent, pour le moment.*

It's now or never!	*C'est maintenant ou jamais !*
That's all for now.	*C'est tout pour le moment.*
Do it right now!	*Fais-le immédiatement !*
What are you doing now?	*Que fais-tu en ce moment ?*
Now that you are here, we can go.	*Maintenant que tu es là, nous pouvons y aller.*

Now that it's over we'll be able to relax.	*Maintenant que c'est terminé, nous pourrons nous reposer.*

81. usage de ***like***

like est un adverbe, il est souvent traduit par *comme* et se trouve dans nombre d'expressions.

Like I said before, it's useless.	*Comme je l'ai déjà dit, ça ne sert à rien.*
He drives like crazy. (US)	*Il conduit comme un fou. (US)*
It's something like that.	*C'est quelque chose comme ça.*
It was like a dream.	*C'était comme dans un rêve.*
She's like no other.	*Elle est unique en son genre.*
"Will you come?" "Like hell (I will)!"	*« - Tu viendras ? - Un peu que je viendrai ! »*
It hurts like hell.	*Ça fait carrément mal.*
He's more like 60.	*Il a plutôt la soixantaine.*
Like father, like son.	*Tel père, tel fils.*
It all started on a day like this.	*Tout a commencé un jour comme celui-ci.*
That's more like it.	*C'est déjà mieux.*

82. ***sell*** et ***sale***

Ces deux termes proviennent de la même racine ; l'un est un verbe, l'autre un nom. Attention à ne pas les confondre ! ***sell*** : *vendre ;* ***a sale*** : *une vente.*

He sells cars.	*Il vend des voitures.*
What do you sell?	*Que vendez-vous ?*
She wants to sell the place.	*Elle veut vendre sa maison.*
Do they sell books in here?	*Est-ce qu'on vend des livres ici ?*
For sale.	*À vendre.*
Summer/winter sale	*Soldes d'été/d'hiver*
On sale everywhere.	*En vente partout.*

83. *stop, start, begin*

▸ ***stop*** : *arrêter* (de faire quelque chose) ***start, begin*** : *commencer.*
Tous les trois sont construits avec la forme ***-ing*** ou ***to*** + base verbale.

It started to rain/raining.	*Il s'est mis à pleuvoir.*
Did you stop smoking?	*As-tu arrêté de fumer ?*
She started to cry.	*Elle s'est mise à pleurer.*
Don't stop playing.	*N'arrêtez pas de jouer.*
I began to play golf very early.	*J'ai commencé très tôt à jouer au golf.*
When did it begin?	*Quand cela a-t-il commencé ?*
You never stop, do you?	*Tu ne t'arrêtes jamais, hein ?*

84. traduction de « peut-être »

▶ 2 adverbes et 2 auxiliaires modaux traduisent l'idée de *peut-être*. ***Maybe/perhaps*** (en début de phrase) ; + les modaux ***may/ might***.

Maybe you're right.	*Peut-être que tu as raison.*
Maybe I should just stay here.	*Peut-être que je devrais juste rester ici.*
Perhaps we'll be on time.	*Peut-être qu'on sera à l'heure.*
I may come.	*Je viendrai peut-être.*
They may join us.	*Ils se joindront peut-être à nous.*
You might as well give it a try.	*Tu ferais peut-être aussi bien d'essayer.*
It might well rain.	*Il va peut-être bien pleuvoir.*

85. usage de *against*

▶ ***against*** : *contre.* Cet adverbe est utilisé aux sens propre et figuré.

Are you for or against?	*Es-tu pour ou contre ?*
I'm not against it.	*Je ne suis pas contre.*
He did it against my will.	*Il a agi contre mon gré.*
She was leaning against him.	*Elle était appuyée contre lui.*
Don't lean against this chair!	*Ne t'appuie pas contre cette chaise !*
It's against the law.	*C'est contraire à la loi.*
I don't have anything against her.	*Je n'ai rien contre elle.*

86. usage de *room*

- ***room*** : peut signifier *pièce, salle, chambre, (faire, avoir) de la place.*

Whose bedroom is this?	*À qui est cette chambre ?*
She's locked in her room.	*Elle s'est enfermée dans sa chambre.*
I want a room with a view.	*Je veux une chambre avec vue.*
I'll give you a room on the 1st floor.	*Je vais vous donner une chambre au 1er étage.*
Who is your room mate?	*Qui est ton camarade de chambre ?*
How many rooms have you got in this house?	*Combien de pièces avez-vous dans cette maison ?*
This is our classroom.	*Voici notre salle de classe.*
Make room!	*Faites de la place !*

87. traduire « place »

Le terme *place* est utilisé en français dans nombre d'expressions. En anglais, des termes différents sont utilisés selon le contexte.

- ***seat*** : *siège* ; ***room*** : *avoir de la place* ; ***a square*** : *une place* (ville) ; ***instead of*** : *à la place de, au lieu de* ; ***a (parking) space*** : *une place de parking.*
- ***send someone packing*** : *remettre quelqu'un en place.*

This is my seat.	*Voilà ma place.*
Where are you seated?	*Où est ta place ?*

There's no more room.	*Il n'y a plus de place.*
I live on Market Square.	*J'habite sur la place du marché.*
The square is over there.	*La place est là-bas.*
Do something, instead of complaining!	*Fais quelque chose, au lieu de te plaindre !*
I hope we can find a parking space.	*J'espère que nous pourrons trouver une place de parking.*
He sent her packing.	*Il l'a remise en place.*

88. traduire « arriver »

- ***arrive*** : *arriver* (dans un lieu).
can do/manage/succeed : *y arriver (réussir, parvenir à faire qqch.).*

When are they arriving?	*Quand arrivent-ils ?*
We arrived early, and a good thing too!	*Nous avons bien fait d'arriver de bonne heure.*
We arrive too late, I'm afraid.	*Nous arrivons trop tard, j'en ai bien peur.*
I can't do it alone.	*Je n'y arrive pas tout seul.*
I can't manage to see her.	*Je n'arrive pas à la voir.*
Don't worry, I'll manage.	*Ne t'en fais pas, j'y arriverai.*
Do you think he will succeed?	*Crois-tu qu'il y arrivera ?*

89. *look for* et *search*

- ***look for*** : *chercher.* ***search*** : *fouiller.*

What are you looking for?	*Que cherchez-vous ?*
I'm looking for my wallet.	*Je cherche mon porte-monnaie.*
If you're looking for trouble, this is the right place.	*Si tu cherches des ennuis, tu es au bon endroit.*
All passengers were searched.	*Tous les passagers ont été fouillés.*
They searched in every corner of the house.	*Ils ont fouillé partout dans la maison.*
He was searching his memory.	*Il fouillait dans sa mémoire.*

90. le verbe *grow*

- ***grow*** : *grandir, faire pousser* ou *devenir.*

Ce verbe s'utilise aussi dans un grand nombre d'expressions usuelles.

He grew up in Perth.	*Il a grandi à Perth.*
He has grown so tall!	*Comme il a grandi !*
Won't you grow up!	*Quand est-ce que tu vas grandir !*
He grows fruit and vegetables.	*Il fait pousser des fruits et légumes.*
I'm growing tired of this noise.	*Ce bruit commence à me fatiguer.*

She's has grown really fat since her operation.	*Elle a beaucoup grossi depuis son opération.*
I've grown used to the heavy traffic.	*Je me suis habitué à la circulation incessante.*

91. le verbe ***spend***

▸ ***spend*** a deux sens bien distincts : *passer (temps, vacances...)/ dépenser.*

She spends her time dreaming.	*Elle passe son temps à rêver.*
They spent the night at his place.	*Ils ont passé la nuit chez lui.*
Where did you spend your holidays?	*Où avez-vous passé vos vacances ?*
He spends too much.	*Il dépense trop.*
She spends all she earns on clothes.	*Elle dépense tout ce qu'elle gagne en vêtements.*
I only spent very little.	*Je n'ai presque rien dépensé.*
It must be his spending money.	*Ça doit être son argent de poche.*

92. ***win*** et ***earn***

▸ ***win*** *: gagner (sport, au jeu).*
earn *: gagner de l'argent* (en travaillant).

Who won the match?	*Qui a gagné le match ?*
He won at the lottery.	*Il a gagné au loto.*

I'll let you know if we win.	*Je te dirai si nous gagnons.*
He won at the races	*Il a gagné aux courses.*
How much do you earn?	*Combien tu gagnes ?*
He earns a lot.	*Il gagne beaucoup d'argent.*
I've never earned so much.	*Je n'ai jamais gagné autant.*

93. traduire « temps »

- ***time*** : *le temps* (heures, jours, années...)
weather : *le temps* (la météo).

There's no time.	*Nous n'avons pas le temps.*
Did you have enough time?	*Avez-vous eu assez de temps ?*
I met her a long, long time ago.	*Je l'ai rencontrée il y a bien longtemps.*
She calls from time to time.	*Elle appelle de temps en temps.*
What's the weather like?	*Quel temps fait-il ?*
We had rainy weather.	*Nous avons eu un temps pluvieux.*
I hate this kind of weather.	*Je déteste ce genre de temps.*

94. traduire « heure »

- ***time*** s'utilise pour dire l'heure qu'il est ; ***an hour*** : pour la durée.

What time is it?	*Quelle heure est-il ?*
It's time to go.	*C'est l'heure de partir.*

It's time to go to bed.	*C'est l'heure de se coucher.*
I arrived at this time yesterday.	*Je suis arrivé hier à cette heure-ci.*
He told me two hours later.	*Il me l'a dit deux heures plus tard.*
They should come back in an hour or so.	*Ils devraient être de retour dans environ une heure.*
It's just an hour's drive.	*Ça fait juste une heure de route.*
I live two hours north of here.	*J'habite à deux heures au nord d'ici.*

95. traduire « chez »

- Ce mot est invariable en français mais il dépend du contexte en anglais.

I'm at home.	*Je suis chez moi.*
I'm going home.	*Je rentre chez moi.*
Let's go to my place.	*Allons chez moi.*
Did you go to Peter's?	*Es-tu allé chez Peter ?*
She's going to the hairdresser.	*Elle va chez le coiffeur.*
I'm calling from Marylin's.	*J'appelle de chez Marylin.*
There are five of us in my family.	*Chez moi, nous sommes cinq.*
He was brought up in a Jesuit school.	*Il a été élevé chez les Jésuites.*

96. le verbe « *lie* »

Le verbe ***lie*** peut avoir deux sens, et être irrégulier ou régulier.
lie, lay, lain : *être allongé, poser.* ***lie, lied, lied*** : *mentir.*

He's lying in bed.	*Il est allongé sur le lit.*
She was lying on the floor.	*Elle était allongée par terre.*
You'd better have a lie down.	*Tu ferais mieux de t'allonger quelques minutes.*
The children lay the table.	*Les enfants ont mis la table.*
He lied to us.	*Il nous a menti.*
You'd better not lie to me again!	*Tu ferais mieux de ne plus me mentir !*
I never lied to you!	*Je ne t'ai jamais menti !*
It's a lie!	*Mensonge !*

97. *live* et *leave*

live, lived, lived : *vivre, habiter.*
leave, left, left : *partir, s'en aller.*

Where do you live?	*Où habitez-vous ?*
She doesn't live here anymore.	*Elle n'habite plus ici.*
They lived in peace for many years.	*Ils ont vécu en paix pendant des années.*
When are you leaving?	*Quand partez-vous ?*
We must leave immediately!	*Nous devons partir sur-le-champ.*

I'm sorry, he's left already. — *Je suis désolé, il est déjà parti.*

She left him for another. — *Elle l'a quitté pour un autre.*

98. *one* et *ones*

one/ones : *un(e).* Ils correspondent aussi à l'usage de *celui-là/ceux-là.*

Give me one. — *Donnez-m'en un.*

Only one? — *Un seul ?*

Give me this one. — *Donnez-moi celui-ci.*

Which ones would you like? — *Lesquels aimeriez-vous ?*

The red ones or the blue ones? — *Les rouges ou les bleus ?*

The little ones, please. — *Les petits, s'il vous plaît.*

The ones I wanted have been sold already. — *Ceux que je voulais ont déjà été vendus.*

99. *no* et *not*

no : (absence totale de), *aucun, plus de.* **not** : *pas... de.*

No problem. — *Aucun problème.*

No fear. — *Rien à craindre.*

I have no money left. — *Je n'ai plus d'argent.*

There's no milk left. — *Il ne reste plus de lait.*

I am no expert. — *Je ne suis pas expert en la matière.*

I have no idea. — *Je n'en ai aucune idée.*

It was no use.	*Ça n'a servi à rien.*
She's no genius...	*Ce n'est pas une lumière...*
That was not very nice.	*Ce n'était pas très sympa.*
It's not me!	*Ce n'est pas moi !*
I'm not such a fool!	*Je ne suis pas idiot à ce point !*
It's not my fault!	*Ce n'est pas ma faute !*

100 traduire « sympa »

nice s'emploie pour un lieu, une personne ; ***friendly*** pour une personne.
Attention ! ***Sympathetic*** est un faux ami ; il signifie : *compatissant.*

They are so friendly!	*Ils sont vraiment sympas !*
This is nice!	*C'est sympa ici !*
It was not a very nice thing to say.	*Ce n'était pas très sympa de dire ça.*
Greece is a nice place.	*La Grèce est un pays sympa.*
He's always been friendly.	*Il a toujours été sympa.*
It's nice of you!	*C'est sympa de ta part !*

101 *fun* et *funny*

fun : (nom) *plaisir, amusement ;* il est souvent utilisé comme adjectif.
funny : (adjectif) *drôle, marrant.* Il signifie aussi, *bizarre, étrange.*

Have fun!	*Amuse-toi bien !*
This is fun!	*C'est cool !*

We had so much fun!	*Qu'est-ce qu'on a ri !*
He's good fun.	*Il est amusant.*
Are you being funny?	*Tu te crois drôle ?*
It's so funny!	*Comme c'est drôle !*
What's so funny?	*Qu'y a-t-il de si amusant ?*
It smells funny in here.	*Ça sent bizarre ici.*
I feel funny.	*Je me sens bizarre.*

stay et *rest*

- ***stay*** : *rester, demeurer.*
  rest : *se reposer ;* c'est un un faux ami.

Stay here/put!	*Reste ici/ne bouge pas !*
I'm supposed to stay in bed.	*Je suis censé rester au lit.*
How long are you staying?	*Combien de temps restez-vous ?*
Are you staying for the night?	*Tu restes dormir ?*
You'd better rest for a while.	*Tu ferais mieux de te reposer.*
I need a rest.	*J'ai besoin de repos.*
Rest In Peace (R.I.P.).	*Repose en paix.*

103 traduire « compter »

- ***count*** : *compter* (différents éléments ; *compter sur quelqu'un :* ***count on***).

- ***rely on*** : *compter sur quelqu'un.*
  matter : *compter, avoir de l'importance.*

He can hardly count.	*Il sait à peine compter.*
You can count on it.	*Tu peux y compter.*
Can you rely on her?	*Peux-tu compter sur elle ?*
Don't rely too much on him.	*Ne compte pas trop sur lui.*
It's the only thing that matters.	*C'est la seule chose qui compte.*
What matters is to get there.	*Ce qui compte, c'est d'arriver là-bas.*
He said I didn't matter.	*Il a dit que je ne comptais pas.*

104 *enjoy* et *happy*

- ***enjoy*** : *aimer, apprécier* (c'est un verbe !).
  happy : *heureux, content* (c'est un adjectif !).

Enjoy your meal!	*Bon appétit !*
Enjoy yourself!	*Amuse-toi bien !*
Did you enjoy the party?	*Tu as aimé la soirée ?*
He enjoyed the silence.	*Il a apprécié le silence.*
I enjoy running.	*J'aime bien la course à pied.*
Are you happy now?	*Tu es content maintenant ?*
She looks so happy!	*Elle a l'air si heureuse !*
I've never been so happy.	*Je n'ai jamais été aussi heureux.*

105 *teach* et *learn*

teach : *enseigner, apprendre quelque chose à quelqu'un.*
learn : *apprendre quelque chose* (par soi-même).

He taught me to write.	*Il m'a appris à écrire.*
She taught us how to swim.	*Elle nous a appris à nager.*
Teach me how to draw!	*Apprends-moi à dessiner !*
He teaches music.	*Il enseigne la musique.*
What did you learn?	*Qu'as-tu appris ?*
You'd better learn it by heart.	*Tu ferais mieux de l'apprendre par cœur.*
He learns quickly.	*Il apprend vite.*

106 *steal* et *rob*

steal : *voler* (de l'argent, des bijoux, une montre, un sac).
rob : *dévaliser* (une banque, une maison).

Someone has stolen my wallet!	*Quelqu'un m'a volé mon porte-monnaie !*
He stole money and jewels.	*Il a volé de l'argent et des bijoux.*
He tried to steal my watch.	*Il a essayé de me voler ma montre.*
The bank was robbed.	*La banque a été dévalisée.*
They robbed his house.	*Ils ont dévalisé sa maison.*
They wanted to rob her.	*Ils voulaient la dévaliser.*
He was arrested for armed robbery.	*Il a été arrêté pour vol à main armée.*

107 traduire « porter »

- ***wear*** : *porter* (un vêtement, des lunettes).
carry : *porter* (un paquet, un bébé pour une femme enceinte).
bear : *supporter* (surtout dans l'expression : *je ne peux supporter*).

She wears glasses.	*Elle porte des lunettes.*
He was wearing a new suit.	*Il portait un costume neuf.*
Let me carry your luggage.	*Laissez-moi porter vos bagages.*
He'll never carry it alone!	*Il n'arrivera jamais à le porter tout seul !*
He bears me a grudge.	*Il m'en veut.*
I can't bear waiting!	*Je ne supporte pas d'attendre.*
I can't bear this smell.	*Je ne supporte pas cette odeur.*

108 traduire « empêcher »

- ***prevent; stop*** : *empêcher quelqu'un de faire quelque chose.*
I can't help + ***ing*** : *je ne peux m'empêcher de.*

The accident could have been prevented.	*L'accident aurait pu être empêché.*
She prevented us from going any further.	*Elle nous a empêchés d'aller plus loin.*
He stopped me from doing it.	*Il m'a empêché de le faire.*
Try and stop me!	*Essaie de m'en empêcher !*
I can't help thinking about it.	*Je ne peux m'empêcher d'y penser.*

She couldn't help laughing. *Elle n'a pas pu s'empêcher de rire.*

I just can't help it! *Je ne peux pas m'en empêcher.*

109 « on dirait/ça ressemble à »

On utilise les verbes de perception : ***look, sound, smell, feel, taste***.

- On choisit le verbe en fonction du sens dans lequel il est utilisé, (ex. : *pour la vue,* ***look***). Pour un bruit : ***sound***, une odeur : ***smell***, le toucher, ***feel***, le goût : ***taste***.

It looks like a carrot. *On dirait une carotte.*

It looks like rain. *On dirait bien qu'il va pleuvoir.*

It looks like we're going to win. *J'ai bien l'impression qu'on va gagner.*

Sounds good to me! *Ça m'a l'air bien !*

You sound tired. *Tu as l'air fatigué (à t'entendre).*

It smells like onions. *Ça sent les oignons.*

It feels like velvet. *On dirait du velours.*

It tastes like yogurt. *Ça ressemble à du yaourt.*

110 traduire « comme »

- ***like*** s'utilise devant un groupe nominal, ***as*** devant une proposition.
  as if, *comme si,* est employé en tête de proposition.

what/how, *comme*, sens exclamatif.
Plusieurs autres expressions courantes se traduisent différemment.

She's just like you.	*Elle est juste comme toi.*
Do as you like.	*Fais comme tu veux.*
As I was late I took a taxi.	*Comme j'étais en retard, j'ai pris un taxi.*
As I didn't understand, she explained it all to me.	*Comme je ne comprenais pas, elle m'a tout expliqué.*
As if nothing was the matter.	*Comme si de rien n'était.*
As if I hadn't told him before!	*Comme si je ne le lui avais pas dit auparavant !*
What a wonderful day!	*Comme il fait beau !*
How cute he is!	*Comme il est mignon !*
How nice!	*Comme c'est gentil !*
That's just the way it is.	*C'est comme ça.*
So-so.	*Comme ci, comme ça.*

111 ***feel*** et ***feel like***

- ***I feel*** + adjectif, *je me sens, je suis* (mieux, fatigué, soulagé...)
I feel like + nom : *j'ai envie de* ou *j'ai l'impression de/que...*

How do you feel?	*Comment te sens-tu ?*
Do you feel any better?	*Tu te sens mieux ?*
I don't really feel hungry.	*Je n'ai pas vraiment faim.*
I feel so sorry.	*Je suis tellement désolé !*
I felt so stupid!	*Je me suis senti vraiment bête !*

I feel like a sandwich.	*J'ai envie d'un sandwich.*
I don't feel like it.	*Je n'en ai pas envie.*
She felt like she was going to faint.	*Elle avait l'impression qu'elle allait s'évanouir.*
I don't want you to feel like that.	*Je ne veux pas que tu aies cette impression.*

112 ***look*, *see* et *watch***

Ces trois verbes signifient *regarder, voir.*

- ***look*** : *regarder, voir.*
  see : *voir, rencontrer.* C'est un verbe irrégulier : ***see, saw, seen***.
  watch : *regarder* (la télévision, un film, quelqu'un passer, ...)

Look! He's back!	*Regarde ! Il est revenu !*
Look this way!	*Regarde par là !*
He looked me straight in the eyes.	*Il m'a regardé droit dans les yeux.*
Did you see?	*Tu as vu ?*
I saw her last night.	*Je l'ai vu hier soir.*
They see each other every week.	*Ils se voient toutes les semaines.*
Do you really want to watch TV tonight?	*Tu tiens vraiment à regarder la télé ce soir ?*
I've never watched this film.	*Je n'ai jamais vu ce film.*

113 *listen* et *hear*

- ***listen (to)*** : *écouter* (action volontaire). Le complément est introduit par ***to***.
  hear : *entendre* (perception involontaire), ex. : ***I heard a noise*** : *j'ai entendu un bruit.*

Don't listen to him!	*Ne l'écoute pas !*
Listen up!	*Écoute bien !*
Won't you listen?	*Tu vas m'écouter, à la fin ?*
He never listens.	*Il n'écoute jamais.*
Go on, I'm listening.	*Continue, je t'écoute.*
Did you hear?	*Tu as entendu ?*
Stop it, do you hear me?	*Arrête, tu m'entends ?*
He doesn't hear very well.	*Il n'entend pas très bien.*
I heard him snore.	*Je l'ai entendu ronfler.*
Sorry, I didn't hear what you said.	*Désolé, je n'ai pas entendu ce que vous avez dit.*

114 traduire « manquer »

- ***miss*** : *manquer* (un train, à quelqu'un...).
  a lack of : *un manque de* (nourriture, boisson...).
  I run out of/I don't have enough : *je n'ai plus avoir assez, je manque de.*

Who's missing?	*Qui manque (à l'appel) ?*
I miss you.	*Tu me manques.*
He missed his train.	*Il a manqué son train.*

We are missing one.	*Il nous en manque un.*
There's no lack of food!	*On ne manque pas de nourriture !*
He lacks patience.	*Il manque de patience.*
We don't have enough bread.	*Nous manquons de pain.*
We're running out of time.	*Nous allons manquer de temps.*

115 traduction de « on »

L'usage du *on* est très fréquent en français. En anglais, il se traduit par différentes structures ou formulations selon le contexte.

- ***we*** *:* celui qui parle fait partie du groupe (ex. : ***we left****, on est partis*).
  you/they/one *:* sens général (ex. : ***they say…****, on dit que…*).
  someone/somebody *:* identité inconnue ou non précisée.
  people *: les gens* (proche de ***they***).
  La forme passive se traduit également par *on* dans de nombreux cas.

We were late.	*On était en retard.*
We should have left earlier.	*On aurait dû partir plus tôt.*
You never know.	*On ne sait jamais.*
They say he's very ill.	*On dit qu'il est très malade.*
One should never travel alone.	*On ne devrait jamais voyager seul.*
One should always ask for advice.	*On devrait toujours demander conseil.*
Someone is ringing at the door.	*On sonne à la porte.*

Somebody told her to try.	*On lui a dit d'essayer.*
In the US people don't eat enough vegetables.	*Aux USA, on ne mange pas assez de légumes.*
He was told to go home.	*On lui a dit de rentrer chez lui.*
Theye were answered it was too late.	*On leur a répondu que c'était trop tard.*
She was offered flowers.	*On lui a offert des fleurs.*

116 subordonnées sans conjonction

La conjonction de subordination ***that*** est le plus souvent omise. La subordonnée est alors traduite par la seule syntaxe (l'ordre des mots).

I know it's difficult.	*Je sais que c'est difficile.*
I guess you are right.	*Je suppose que tu as raison.*
We supposed he knew.	*Nous avons supposé qu'il était au courant.*
He said he was sorry.	*Il a dit qu'il était désolé.*
I think she said the truth.	*Je crois qu'elle a dit la vérité.*
I'm not sure I understand what you mean.	*Je ne suis pas sûr de comprendre ce que tu dis.*

117 traduire « parler »

- ***speak*** *: parler une langue, manière dont on parle ; parler à quelqu'un.*
talk *: parler de quelque chose ; parler à quelqu'un.*

She speaks fluent English.	*Elle parle anglais couramment.*

Do you speak Italian?	*Parlez-vous italien ?*
Don't speak too loud!	*Ne parle pas trop fort !*
She speaks too much.	*Elle parle trop.*
I never spoke about it.	*Je n'en ai jamais parlé.*
Let's talk about it!	*Parlons-en !*
Talk to me!	*Parle-moi !*
Did you talk to anyone?	*Tu en as parlé à quelqu'un ?*
Ok, but you do the talking.	*Ok, mais c'est toi qui parles.*

118. traduire « personne/gens »

person : *une personne* (généralement utilisé au singulier).
people : *les gens* (généralement utilisé pour le pluriel).

She's a nice person.	*Elle est gentille.*
I helped a blind person to cross the street.	*J'ai aidé une personne aveugle à traverser la rue.*
She's the right person.	*C'est la personne qu'il nous faut.*
The king in person will be present.	*Le roi en personne sera présent.*
A few people saw him leave.	*Quelques personnes l'ont vu partir.*
The people here are rather cold.	*Les gens d'ici sont plutôt froids.*
The people I met were very nice.	*Les gens que j'ai rencontrés étaient très gentils.*
There were three or four people.	*Il y avait trois ou quatre personnes.*

119 *remember* et *remind*

- ***remember*** : *se rappeler quelque chose, se souvenir* (d'un événement).
  remind : *rappeler quelque chose à quelqu'un* (afin qu'il n'oublie pas).

I remember!	*Je me souviens !*
He doesn't remember anything.	*Il ne se souvient de rien.*
I can't remember his name!	*Je n'arrive pas à me rappeler son nom.*
Come on, try to remember!	*Allez, essaie de te rappeler !*
Remind me to lock the door.	*Rappelle-moi de fermer la porte à clé.*
Did you remind her?	*Tu le lui as rappelé ?*
He reminds me of someone, but who?	*Il me rappelle quelqu'un, mais qui ?*
It reminds me of a story I heard the other day.	*Ça me rappelle une histoire que j'ai entendue l'autre jour.*

120 *sick* et *ill*

- ***sick*** : *malade* (*mal au cœur*, ou *sens figuré*, ex. : *mal du pays*).
  ill : *malade* (*rhume, grippe*, ou *maladie grave*).

I feel sick.	*J'ai mal au cœur.*
She's homesick.	*Elle a le mal du pays.*
I've never been seasick.	*Je n'ai jamais eu le mal de mer.*

He makes me sick.	*Il me dégoûte.*
He's been ill for two days.	*Ça fait deux jours qu'il est malade.*
He was ill for a week.	*Il a été malade pendant une semaine.*
You don't look very ill to me.	*Tu ne m'as pas l'air très malade.*
He was ill with temperature.	*Il avait de la fièvre.*
They say he is seriously ill.	*On dit qu'il est gravement malade.*

121 *ache*, *hurt* et « *pain*

- ***ache*** : *un mal de (dos, ventre...).* Il est surtout employé comme nom.
  hurt : *avoir mal, faire mal ou blesser* (sens propre et figuré).
  pain : *la douleur* (physique, morale...).

I've got back-ache.	*J'ai mal au dos.*
She's got tooth-ache.	*Elle a mal aux dents.*
I've got a terrible head-ache.	*J'ai un mal de tête carabiné.*
If you ask me, he's a real headache.	*Si tu veux mon avis, il est vraiment très pénible.*
He's got stomach-ache.	*Il a mal au ventre.*
Ouch! It hurts!	*Aïe ! Ça fait mal !*
He got hurt.	*Il a été blessé.*
Don't hurt her!	*Ne lui faites pas de mal !*

Sorry if I hurt you.	*Désolé si je t'ai vexé.*
I have a pain in my foot.	*J'ai une douleur au pied.*
They were in great pains.	*Ils souffraient terriblement.*
I heard a cry of pain.	*J'ai entendu un cri de douleur.*

122 ***thin*** **et** ***thick***

- ***thin*** : (adjectif) *mince, maigre, fin.*
thin : (verbe) *perdre ses cheveux.*
thick : (adjectif) *épais, gros* (difficile à croire).

She's very thin.	*Elle est très mince.*
You are walking on thin ice.	*Tu t'aventures sur un terrain glissant.*
He vanished into thin air.	*Il s'est volatilisé.*
His hair is thinning.	*Il perd ses cheveux.*
The snow was too thick.	*La neige était trop épaisse.*
That's a bit thick!	*C'est un peu gros !*
This door is 5cm thick.	*Cette porte fait 5 cm d'épaisseur.*
The ice was not thick enough.	*La glace n'était pas assez épaisse.*

123 **usage de** ***order***

- ***order*** : (verbe) *commander (des hommes ou passer une commande).*
an order : (nom) *une commande/un ordre/en ordre.*

Did you order?	*Tu as commandé ?*
Can I take your order?	*Vous avez choisi ? (restaurant)*
I didn't order this!	*Ce n'est pas ce que j'ai commandé !*
Out of order	*En panne*
That's an order!	*C'est un ordre !*
I don't take orders from anyone!	*Je n'ai d'ordre à recevoir de personne.*
Everything is back in order.	*Tout est rentré dans l'ordre.*
Leave the place in order.	*Laissez l'endroit bien rangé.*

124 usage de *wonder*

I wonder : *je me demande.*
a wonder peut avoir deux sens : *un mystère* ou *une merveille.*

I wonder why.	*Je me demande pourquoi.*
I wonder what happened.	*Je me demande ce qui s'est passé.*
No wonder!	*Pas étonnant !*
No wonder he didn't call us!	*Pas étonnant qu'il ne nous ait pas appelés !*
It's a wonder that he didn't get hurt.	*C'est un miracle qu'il n'ait pas été blessé.*
It makes you wonder.	*Ça fait réfléchir.*
This new medicine works wonders.	*Ce nouveau médicament fait des merveilles.*
We visited the wonders of the ancient Rome.	*Nous avons visité les merveilles de la Rome antique.*

125 phrases négatives

Les phrases négatives sont généralement construites à l'aide d'un auxiliaire suivi d'une négation (***do not***, ***did not***, ***won't***, ***can't***, ***mustn't***, etc.). La négation ***not*** est contractée à l'oral, mais pas à l'écrit.

Sorry, I don't agree with you.	*Désolé, je ne suis pas d'accord avec vous.*
I don't mean to pry.	*Je ne veux pas vous déranger.*
She did not think it could happen to her.	*Elle ne pensait pas que cela pouvait lui arriver.*
It might not have happened if you had listened to me.	*Cela ne se serait peut-être pas produit si tu m'avais écouté.*
I promise it won't happen again.	*Je promets que cela n'arrivera plus.*
If I were you, I wouldn't bother.	*Si j'étais toi, je ne m'en ferais pas.*
You mustn't make so much noise!	*Vous ne devez pas faire tant de bruit !*
I couldn't tell him anything: he wouldn't listen.	*Je n'ai rien pu lui dire : il ne voulait rien savoir.*

Si le verbe est construit avec l'adverbe ***never***, la phrase garde un sens négatif, mais aucun auxiliaire n'est alors utilisé.

I've never been to Japan.	*Je ne suis jamais allé au Japon.*
She never drives at night.	*Elle ne conduit jamais la nuit.*

He says he has never smoked.	*Il dit qu'il n'a jamais fumé.*
I will never forget what happened on that day.	*Je n'oublierai jamais ce qui s'est passé ce jour-là.*
You never know...	*On ne sait jamais...*
I would never have imagined it could be so easy.	*Je n'aurais jamais imaginé que cela puisse être si facile.*
He never worries about anything.	*Il ne s'inquiète jamais de rien.*

126 ***floor, ground*** et ***earth***

▶ ***the floor*** a deux sens : *le plancher, le sol* ou *bien l'étage d'un bâtimentt.*
the ground : *le sol, la terre* (sens naturel uniquement).
the earth : *la terre* (dans un champ) ; ***the Earth*** : *la planète Terre.*

She was sitting on the floor.	*Elle était assise par terre.*
I live on the first floor.	*J'habite au premier étage.*
He fell to the ground.	*Il est tombé par terre.*
Moles live under the ground.	*Les taupes vivent sous la terre.*
The earth is brown here.	*La terre est brune par ici.*
It was heaven on earth.	*C'était le paradis sur terre.*
An earthquake destroyed their villages.	*Un tremblement de terre a détruit leurs villages.*
Save the Earth!	*Sauvez la Terre !*

127 *job* et *work*

- ***a job*** : *un travail, un boulot.*
  work : *travailler* (rarement utilisé comme nom) ; *marcher* (bien se passer).

Good job!	*Bon travail !*
I'm looking for a job.	*Je cherche du travail.*
I must get a job quickly.	*Il faut que je trouve du travail rapidement.*
He works hard.	*Il travaille dur.*
Where do you work?	*Où travaillez-vous ?*
I'm going to work.	*Je vais au boulot.*
Do you think it's going to work?	*Tu crois que ça va marcher ?*
It works!	*Ça marche !*

128 traduire « voyage »

- ***a trip*** : *un voyage* (sens général : avion, auto, affaires, loisir).
  a journey : *un voyage, un trajet.*
  a voyage : *un voyage en mer, une traversée.*
  to travel : *voyager* (le nom ***travel*** est souvent utilisé avec un autre nom ; ex. : ***a travel agency***, *une agence de voyage*).

Have a nice trip!	*Bon voyage !*
Did you have a nice trip?	*Vous avez fait bon voyage ?*
He's on a business trip.	*Il est en voyage d'affaires.*
It's a long journey.	*C'est un long voyage.*

The return journey was terrible.	*Le voyage du retour a été très pénible.*
It's my first voyage across the Pacific.	*C'est ma première traversée du Pacifique.*
She travels a lot.	*Elle voyage beaucoup.*
Have you ever travelled to Russia?	*Êtes-vous déjà allé en Russie ?*
I just love travelling.	*J'adore voyager.*
A travel agency has just opened across the road.	*Une agence de voyage vient d'ouvrir en face.*

129 *cry*, *shout* et *scream*

Ces trois termes peuvent être noms ou verbes.

- ***cry*** : *pleurer/un cri* (le verbe ***cry*** est rarement utilisé dans le sens *crier*).
  shout : *crier* (appeler quelqu'un) ; *un cri.* ***Shout at*** : *crier contre quelqu'un.*
  scream : *crier, hurler* (de peur) ; *un cri, un hurlement.*

Come on, don't cry!	*Allons, ne pleure pas!*
A cry was heard.	*On entendit un cri.*
There was a cry of pain.	*Il y a eu un cri de douleur.*
Don't shout, I'm not deaf!	*Ne crie pas, je ne suis pas sourd.*
Stop shouting!	*Arrête de crier !*
They shouted for help.	*Ils ont crié à l'aide.*
She shouted at me.	*Elle m'a crié dessus.*

He screamed with fear.	*Il a hurlé de peur.*
What a terrible scream!	*Quel hurlement affreux !*

130 *introduce* et *present*

- ***introduce*** : *se présenter* (ou *présenter quelqu'un à une autre personne).*
present : *présenter,* dans le sens *montrer, offrir.*

Let me introduce myself.	*J'aimerais me présenter.*
I'd like to introduce you to my cousin.	*Laissez-moi vous présenter à mon cousin.*
Introductions were made.	*On fit les présentations.*
Proudly introducing our new car.	*Nous sommes fiers de présenter notre nouvelle voiture.*
He presented his ID.	*Il présenta une pièce d'identité.*
He presented her with a jewel.	*Il lui a offert un bijou.*

131 traduire « anniversaire »

- ***birthday*** est seulement utilisé pour la *date de naissance* ***birth***.
anniversary est surtout utilisé pour un *anniversaire de mariage.*

Happy birthday!	*Joyeux anniversaire !*
They are giving a birthday party.	*Ils organisent une fête d'anniversaire.*
I met her on her 20th birthday.	*Je l'ai rencontrée le jour de ses vingt ans.*

Whose birthday is it?	*C'est l'anniversaire de qui ?*
He never celebrates his birthday.	*Il ne fête jamais son anniversaire.*
It's our anniversary.	*C'est notre anniversaire de mariage.*
We're going to Venice for our 10th anniversary.	*Nous allons à Venise pour nos dix ans de mariage.*

132 usage de ***change***

change (nom ou verbe) signifie *changer, un changement/de la monnaie.*

What a change!	*Quel changement !*
Let's hope it's a change for the better.	*Espérons que ce sera une amélioration.*
I've just changed cars.	*Je viens de changer de voiture.*
She wants to change jobs.	*Elle veut changer d'emploi.*
I think you need a change.	*Je crois que tu as besoin de changement.*
Would you like to change places?	*Aimeriez-vous changer de place ?*
You haven't changed!	*Tu n'as pas changé !*
Do you have any change?	*Vous avez de la monnaie ?*

133 ordre des mots

Dans un groupe nominal constitué d'un nom, d'un adjectif et d'un adverbe, le nom reste en dernière position : adverbe + adjectif + nom.

He served us a very good wine.	*Il nous a servi du très bon vin.*
We saw a few really beautiful houses.	*Nous avons vu plusieurs maisons vraiment belles.*
This is a very interesting documentary.	*C'est un documentaire très intéressant.*
He's an incredibly successful businessman.	*C'est un homme d'affaires au succès incroyable.*
I'm afraid I have very sad news.	*J'ai de très mauvaises nouvelles, j'en ai bien peur.*
I had a really boring day.	*J'ai passé une journée vraiment ennuyeuse.*

pluriels irréguliers

Cinq catégories de pluriels irréguliers peuvent être distinguées : les noms terminés par ***man/woman*** : ***men/women***, ***(child*** : ***children!)***.

- les noms fonctionnant comme ***foot*** : ***feet***.
- les noms fonctionnant comme ***life*** : ***lives***.
- les noms terminés par un ***y*** qui font leur pluriel en ***-ies***.
- les noms terminés par les consonnes « ***if*** » : + « ***ives*** ».

The firemen arrived immediately.	*Les pompiers sont arrivés immédiatement.*

He was seen by three policemen in a car.	*Il a été vu par trois policiers dans leur voiture.*
Children! Look who's here!	*Les enfants ! Regardez qui est ici !*
He lost several teeth.	*Il a perdu plusieurs dents.*
She had surgery on both feet.	*Elle a été opérée des deux pieds.*
Henry VIII had six wives.	*Henry VIII a eu six femmes.*
I'd like to live a hundred lives!	*J'aimerais vivre cent vies !*
She likes going to parties.	*Elle aime aller à des soirées.*
He told us two scary stories.	*Il nous a raconté deux histoires effrayantes.*
They wanted to see for themselves.	*Ils voulaient voir par eux-mêmes.*
The thieves were finally arrested.	*Ils ont fini par arrêter les voleurs.*

135 adjectifs composés

Ils sont composés de deux éléments au moins, parfois trois, reliés entre eux par des tirets. Ils restent invariables et sont placés devant le nom.

She's a blue-eyed girl, with long hair.	*C'est une fille aux yeux bleus, avec de longs cheveux.*
The witness spoke of a dark-haired man.	*Le témoin a parlé d'un homme aux cheveux bruns.*
Titanic is a world-famous film.	Titanic *est un film célèbre dans le monde entier.*

I don't think he's such a good-looking actor.	*Je ne crois pas que ce soit un si bel acteur.*
It's a well-known fact.	*C'est un fait bien connu.*
He was only a ten-year-old boy at the time.	*Il n'avait que dix ans, à l'époque.*

136 noms composés

Ils sont composés de deux éléments (deux noms), mais ne sont pas reliés par des tirets. On traduit le second avant le premier.

The football field is beside the swimming pool.	*Le terrain de foot est près de la piscine.*
Do you like the school uniform?	*Aimes-tu l'uniforme de l'école ?*
She got a DVD player for her birthday.	*Elle a eu un lecteur de DVD pour son anniversaire.*
So, a horror film or war film?	*Alors, un film d'horreur ou un film de guerre ?*
How many credit cards do you have?	*Combien de cartes de crédit avez-vous ?*
What have I done with my cheque book?	*Qu'est-ce que j'ai fait de mon carnet de chèques ?*

137 *stop* et *arrest*

- ***stop*** : *arrêter* (de faire quelque chose) ; *empêcher quelqu'un d'agir.*
- ***arrest*** : *arrêter quelqu'un* (pour l'interroger, le mettre en prison).

Stop playing the fool!	*Arrête de faire l'idiot !*
It never stops raining here!	*La pluie ne s'arrête jamais ici !*
Don't stop here, it's dangerous!	*Ne t'arrête pas ici, c'est dangereux !*
Won't you stop?	*Tu vas arrêter à la fin ?*
Stop me if you can!	*Essaie donc de m'en empêcher !*
He was arrested and put in jail.	*Il a été arrêté et emprisonné.*
Why are you arresting me?	*Pourquoi est-ce qu'on m'arrête ?*
They'll never manage to arrest him	*Ils ne parviendront jamais à l'arrêter.*

138 traduire « salut ! »

▸ ***Hi!*** : *salut !*(pour dire bonjour). ***Bye!*** : *salut !* (pour dire au revoir).

Hi, what's up?	*Salut, quoi d'neuf ?*
Hi everyone!	*Salut tout le monde !*
Hi! How is it going?	*Salut, comment ça va ?*
Say hi to your Dad from me!	*Dis bonjour à ton père de ma part !*
Bye, see you later!	*Salut, à plus tard !*
Bye! It was nice seeing you.	*Salut, content de t'avoir vu !*
Bye! Don't forget to call!	*Salut ! N'oublie pas d'appeler !*

139 adjectifs *-ing* ou *-ed* ?

La terminaison ***-ing*** correspond en français au participe présent.
La terminaison ***-ed*** correspond en français au participe passé.

How exciting!	*C'est passionnant !*
I'm very excited.	*Je suis très intéressé.*
It's quite interesting.	*C'est assez intéressant.*
Are you interested?	*Tu es intéressé ?*
This is so boring!	*Comme c'est ennuyeux !*
He got bored.	*Il s'est ennuyé.*
This is disgusting.	*C'est dégoûtant.*
She was disgusted.	*Elle était dégoûtée.*
This is not really surprising.	*Ce n'est pas vraiment surprenant.*
I must say I'm surprised.	*Je dois dire que je suis surpris.*

140 traduire « occasion »

- ***occasionally*** : (adverbe) *à l'occasion, de temps en temps.*
  an occasion : (nom) *occasion, événement.*
  an opportunity : *une occasion* (à ne pas manquer).
  second-hand : *d'occasion* (adjectif ou adverbe).

It happens occasionally.	*Cela arrive de temps en temps.*
I saw him on several occasions.	*Je l'ai vu à plusieurs occasions.*

On that occasion she was alone.	*À cette occasion, elle était seule.*
It was the opportunity to meet him.	*Ce fut l'occasion de le rencontrer.*
It's a great opportunity.	*C'est une super occasion.*
I've bought a second-hand car.	*J'ai acheté une voiture d'occasion.*
I bought it second-hand.	*Je l'ai achetée d'occasion.*

141. traduire « expérience »

- ***experience*** : *expérience* (bonne, mauvaise, nouvelle).
  experiment : *expérience scientifique.*

It's a great experience.	*C'est une super expérience.*
It was an unforgettable experience.	*Ce fut une expérience inoubliable.*
He's a man of experience.	*C'est un homme d'expérience.*
The experiment was a success.	*L'expérience a été un succès.*
It's the first time the experiment has been carried out.	*C'est la première fois que l'expérience est réalisée.*
It was tried as an experiment.	*Cela a été essayé à titre expérimental.*

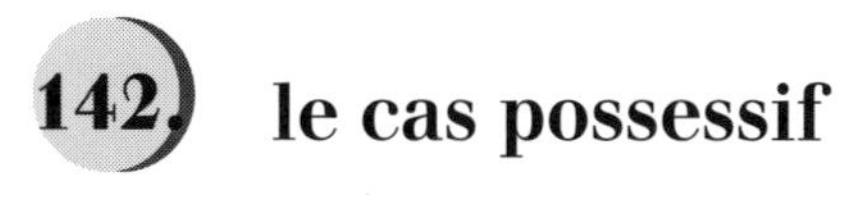

142 le cas possessif

On forme le cas possessif par l'ajout du ***'s*** après le nom du possesseur. L'ordre des mots est inversé par rapport au français (ex. : ***John's satchel***, *le cartable de John*). Pour un nom pluriel régulier, seul l'apostrophe est utilisé (ex : ***my parents' decision***, *la décision de mes parents*).

▸ Cas possessif singulier. Attention ! Les noms propres singuliers ne sont jamais précédés de l'article ***the***.

Where is your father's car?	*Où est la voiture de ton père ?*
Is this Tom's bedroom?	*Est-ce la chambre de Tom ?*
My brother's girlfriend is Swedish.	*La petite amie de mon frère est suédoise.*
Lindsey's computer was stolen last week.	*L'ordinateur de Lindsey a été volé la semaine dernière.*
My uncle's dog barks all the time.	*Le chien de mon oncle aboie tout le temps.*
Why did you hide your sister's doll?	*Pourquoi as-tu caché la poupée de ta sœur ?*
It must be somebody's fault!	*Ça doit bien être la faute de quelqu'un !*

▸ Cas possessif pluriel : le ***s*** est omis pour éviter la répétition. Seul l'apostrophe est présent.

I didn't appreciate your parents' reaction.	*Je n'ai pas apprécié la réaction de tes parents.*
The neighbours' car is a brand-new one.	*La voiture des voisins est toute neuve.*

The Smiths' house has just been repainted.	*La maison des Smith vient d'être repeinte.*
The Browns' holidays were ruined by the rain.	*Les vacances des Brown ont été gâchées par la pluie.*
The students' exams haven't started yet.	*Les examens des étudiants n'ont pas encore commencé.*
The demonstrators' violence was condemned by the police.	*La violence des manifestants a été condamnée par la police.*

◗ Cas possessif incomplet : seul le possesseur est mentionné, le possédé est alors sous-entendu (ou présent dans la phrase précédente).

I'm going to the dentist's.	*Je vais chez le dentiste.*
She's at the hairdresser's.	*Elle est chez le coiffeur.*
Did you go to the doctor's?	*Es-tu allé chez le médecin ?*
We went to Peter's.	*Nous sommes allés chez Peter.*
Whose book is this?	*À qui est ce livre ?*
It's John's.	*À John.*
It's not mine, it must be Linda's.	*Ce n'est pas le mien, ce doit être celui de Linda.*

◗ Le cas possessif peut être utilisé pour former un complément de temps ou de lieu.

Have you got today's paper?	*Avez-vous le journal du jour ?*
Tomorrow's meeting is at 8.	*La réunion de demain est à 8 h.*
Last week's bomb attack was terrible.	*L'attentat de la semaine dernière a été terrible.*

France's Prime Minister is expected in China.	*Le Premier ministre français est attendu en Chine.*
Russia's foreign policy was in question.	*La politique étrangère de la Russie était en question.*
They are the world's leader in laptops.	*Ce sont les leaders mondiaux en ordinateurs portables.*

143 le singulier collectif

Certains noms communs faisant référence à un ensemble ne prennent pas la marque du pluriel. En revanche, s'ils sont sujets, le verbe se construit la plupart du temps comme avec un sujet pluriel.

The police are after him.	*La police est à ses trousses.*
I've bought some new furniture.	*J'ai acheté de nouveaux meubles.*
She knows many people in town.	*Elle connaît beaucoup de monde en ville.*
We want information.	*Nous voulons des renseignements.*
Many evidence were found against him.	*De nombreuses preuves ont été trouvées contre lui.*
She gave us excellent advice.	*Elle nous a donné d'excellents conseils.*
Where is your luggage?	*Où sont vos bagages ?*

144 traduction de « très »

- Le terme le plus fréquent dans la langue est l'adverbe ***very*** qui précède l'adjectif ou l'adverbe. À la forme négative, on utilise ***not very***.

She was very enthusiastic.	*Elle était très enthousiaste.*
I'm very impressed.	*Je suis très impressionné.*
You don't look very well.	*Tu n'as pas l'air très bien.*
They say he is very ill.	*On dit qu'il est très malade.*
I'm not very hungry.	*Je n'ai pas très faim.*
It's very nice of you.	*C'est très gentil de ta part.*

- On peut aussi rencontrer ***most*** devant un adjectif ou un adverbe pour signifier *très* (forme affirmative uniquement). Il n'est alors pas précédé de l'article ***the***.

This is most impressive!	*C'est très impressionnant !*
The documentary was most interesting.	*Le documentaire était très intéressant.*
He will most certainly come.	*Il viendra très certainement.*
It's most probable.	*C'est très probable.*
She was most worried.	*Elle était très inquiète.*
It was most kind of her to come so quickly.	*C'est très gentil de sa part d'être venue si vite.*

les nombres

- Les mots ***dozen*** *(douzaine)*, ***hundred*** *(cent, centaine)*, ***thousand*** *(mille, millier)*, ***million*** *(million)* et ***billion*** *(milliard)* sont invariables lorsqu'ils sont précisés par un autre nombre ou par ***several/a few*** *(plusieurs, quelques)*.

She bought two dozen oysters.	*Elle a acheté deux douzaines d'huîtres.*
She asked me to lend her two hundred dollars.	*Elle m'a demandé de lui prêter deux cents dollars.*
They have only sold a few hundred cars.	*Ils n'ont vendu que quelques centaines de voitures.*
It happened five hundred years ago.	*Cela est arrivé il y a cinq cents ans.*
Three thousand people attended the concert.	*Trois mille personnes ont assisté au concert.*
The castle was for sale for two million euros.	*Le château était à vendre pour deux millions d'euros.*
More than six billion people live on planet Earth.	*Plus de six milliards de personnes vivent sur la Terre.*

- Les mots ***dozen*** *(douzaine)*, ***hundred*** *(cent, centaine)*, ***thousand*** *(mille, millier)*, ***million*** *(million)* et ***billion*** *(milliard)* prennent la marque du pluriel (***s***) lorsqu'ils désignent une quantité plus vague, non précisée. Ils sont alors précédés de ***of***.

Dozens of houses were blown up by the explosion.	*Des dizaines de maisons ont été soufflées par l'explosion.*
Hundreds of demonstrators were arrested.	*Des centaines de manifestants ont été arrêtés.*

He was greeted by thousands and thousands of supporters. — *Il a été salué par des milliers et des milliers de supporters.*

Thousands of people gathered in silence. — *Des milliers de personnes se sont rassemblées en silence.*

He's got millions of fans around the world. — *Il a des des millions de fans dans le monde entier.*

Billions of dollars were invested on this project. — *Des milliards de dollars ont été investis dans ce projet.*

146. les adjectifs ordinaux

On appelle adjectifs ordinaux les adjectifs qui servent à déterminer un ordre, un classement : ***first***, ***second***, ***third***, ***tenth***, ***twentieth***... : *premier, second, troisième, dizième, vingtième...*

- Les adjectifs ordinaux prennent la terminaison ***-th*** sauf pour : ***first (1st)*** : *premier*, ***second (2nd)*** : *deuxième, second*, ***third (3rd)*** : *troisième*, et leurs composés (ex. : ***22nd, 131st***). Attention à ***5th*** (***fifth***) !

I was born on the first of May. — *Je suis né le premier mai.*

He speaks in the first person. — *Il parle à la première personne.*

It's the second time she has called. — *C'est la deuxième fois qu'elle appelle.*

She was happy to finish at the third place. — *Elle a été heureuse de terminer troisième.*

The Americans celebrate the 4th July. — *Les Américains fêtent le 4 juillet.*

She was sent flowers for her twenty-fifth birthday.	*On lui a envoyé des fleurs pour ses vingt-cinq ans.*
I call him once a month, normally on the tenth.	*Je l'appelle une fois par mois ; en général, le dix du mois.*
The church was rebuilt in the nineteenth century.	*L'église a été reconstruite au 19e siècle.*
What will the twenty-first century be made of?	*De quoi sera fait le 21e siècle ?*

◗ Lorsqu'un nombre est associé à un adjectif ordinal ou bien lorsqu'il est utilisé avec l'un des adjectifs suivants : ***last***, ***next***, ***other***, il se place derrière celui-ci.

I missed the first five minutes of the film.	*J'ai manqué les cinq premières minutes du film.*
He's eaten the last three cookies.	*Il a mangé les trois derniers cookies.*
I gave her my last twenty dollars.	*Je lui ai donné mes vingt derniers dollars.*
I've often seen her in the last few years.	*Je l'ai vue souvent ces dernières années.*
Where are the other two?	*Où sont les deux autres ?*
We will probably hit some heavy trafic in the next ten miles.	*Nous verrons sans doute beaucoup de circulation dans les quinze prochains kilomètres.*

147 ***sir*** et ***mister***

Ces deux termes se traduisent en français par *monsieur*. ***sir*** n'est pas suivi du nom de famille et est surtout employé comme formule de politesse dans les hôtels, restaurants ou magasins.

- ***mister*** doit toujours être suivi d'un nom. Il s'écrit le plus souvent ***Mr***.

Excuse me, sir.	*Excusez-moi, Monsieur.*
May I help you, sir?	*Puis-je vous aider, Monsieur ?*
Your change, sir.	*Votre monnaie, Monsieur.*
Here's Mr and Mrs Jones.	*Voici Mr et Mme Jones.*
Happy birthday Mr President!	*Bon anniversaire, Mr le Président !*
A Mr Brown called a few minutes ago.	*Un certain Mr Brown a appelé il y a quelques minutes.*

148 traduction de « Si ! »

En français, la réplique *Si !* permet de s'opposer à ce qui vient d'être dit.
En anglais, on emploie ***Yes!*** dans ce sens, en réponse à une phrase négative. ***Of course*** permet de s'opposer encore plus vivement.

"He didn't come." "Yes, he did!"	*« - Il n'est pas venu.* *- Si ! »*
"She won't agree." "Of course, she will!"	*« - Elle ne sera pas d'accord.* *- Bien sûr que si ! »*
"Didn't you see him?" "Of course, I did!"	*« - Tu ne l'as pas vu ?* *- Bien sûr, que je l'ai vu ! »*
"It's not true!" "Yes, it is!"	*« - Ce n'est pas vrai !* *- Si, c'est vrai ! »*

"It doesn't matter." "Yes, it does!"	*« - Ce n'est pas grave. - Si, c'est grave ! »*
"They don't need a rest." "Of course, they do!"	*« - Ils n'ont pas besoin de repos. - Bien sûr que si ! »*

149 lire une date

- Pour les dates comprises entre les années 1000 et 2000, on fractionne la date entre les deux premiers et les deux derniers chiffres, ex. : *1066* se lit ***ten sixty-six***, *1492* : ***fourteen ninety-two***, et ainsi de suite.

He was born in 1899 (eighteen ninety-nine).	*Il est né en 1899.*
She died in 1678 (sixteen seventy-eight).	*Elle est morte en 1678.*
The city was built in 1134 (eleven thirty-four).	*La ville a été construite en 1134.*
He ascended on the throne in 1211 (twelve eleven).	*Il est monté sur le trône en 1211.*
She was imprisoned till 1554 (fifteen fifty-four).	*Elle a été emprisonnée jusqu'en 1554.*
The city was flooded in 1997 (nineteen ninety-seven).	*La ville a été inondée en 1997.*

- Pour les dates comprises après l'an 2000, on ne fractionne pas la date en deux, on la lit comme s'il s'agissait d'une quantité ; ainsi, *2005* se lit ***two thousand and five***. On ajoute parfois ***the year*** : *l'année*, devant la date en question.

I met her in the year two thousand.	*Je l'ai rencontrée en l'an 2000.*

We moved in two thousand and four.	*Nous avons déménagé en 2004.*
He hopes to retire in two thousand and ten.	*Il espère prendre sa retraite en 2010.*
She will not be back until two thousand and twelve.	*Elle ne rentrera pas avant 2012.*
How old will you be in two thousand and fifty?	*Quel âge auras-tu en 2050 ?*
I'd rather wait till the year two thousand and eight.	*Je préférerais attendre jusqu'en 2008.*

150 traduction de « moment »

On distingue trois expressions usuelles : *pour le moment* : ***for the moment***, *en ce moment* : ***at the moment***, *au même moment (en même temps)* : ***at the same time***.

I'm not available for the moment.	*Je ne suis pas disponible pour le moment.*
She'd rather wait for the moment.	*Elle préférerait attendre pour le moment.*
What are you doing at the moment?	*Que fais-tu en ce moment ?*
Where is he at the moment?	*Où est-il en ce moment ?*
We arrived at the same time.	*Nous sommes arrivés au même moment.*
We saw her at the same time.	*Nous l'avons vue au même moment.*

Index grammatical

les numéros renvoient aux rubriques

Achevé d'imprimer en mars 2007
sur les presses de Normandie Roto Impression s.a.s.
à Lonrai (Orne)
N° d'imprimeur : 070933
Dépôt légal : mars 2007

Imprimé en France